A SABEDORIA DE PAPA FRANCISCO

Andrea Kirk Assaf

A SABEDORIA DE PAPA FRANCISCO

ENSINAMENTOS ESSENCIAIS

Tradução
Solange Pinheiro

Planeta

Compilado por Andrea Kirk Assaf
Editado por Tony Assaf
Título original: *Pope Francis' little book of wisdom*

Todas as citações bíblicas deste livro foram padronizadas de acordo com a versão da CNBB.

Preparação de texto: Elisa Nogueira
Revisão: Iracy Borges e Nana Rodrigues
Diagramação: 2 estúdio gráfico
Capa: Compañía
Vinhetas do miolo: © Freepick

CIP-BRASIL. CATALOGAÇÃO NA PUBLICAÇÃO
SINDICATO NACIONAL DOS EDITORES DE LIVROS, RJ

A862s

Assaf, Andrea Kirk
A sabedoria de Papa Francisco : ensinamentos essenciais / Andrea Kirk Assaf ; tradução Solange Pinheiro. - 1. ed. - São Paulo : Planeta, 2016.
Tradução de: Pope Francis' little book of wisdom

ISBN 978-85-422-0875-7

1. Francisco, Papa, 1936 - - Ensinamentos. 2. Igreja Católica - Meditações. 3. Evangelização. I. Pinheiro, Solange. II. Título.

16-36968 CDD: 248.2
CDU: 27-475.5

2016
Todos os direitos desta edição reservados à
EDITORA PLANETA DO BRASIL LTDA.
Rua Padre João Manuel, 100 – 21º andar
Ed. Horsa II – Cerqueira César
01411-000 – São Paulo-SP
www.planetadelivros.com.br
atendimento@editoraplaneta.com.br

Peguem este Evangelho e levem-no
com vocês, para lê-lo todos os dias.
Levem-no em suas bolsas, em seus bolsos,
leiam partes dele com frequência,
uma passagem a cada dia.
A Palavra de Deus é uma luz
para nosso caminho!
Isso lhes fará bem. Façam isso."

O Papa Francisco dirigindo-se à multidão depois da oração do Ângelus na praça de São Pedro, em 22 de março de 2015. Depois disso, homens e mulheres sem-teto distribuíram cópias do Evangelho em edição de bolso – uma nova tradição da Quaresma, iniciada pelo papa em 2014 para demonstrar que "aqueles que passam mais necessidade são aqueles que nos oferecem a Palavra de Deus".

SUMÁRIO

NOTA DO EDITOR

No Domingo de Ramos deste ano, casualmente mencionei a um amigo italiano que eu estava compilando citações do Papa Francisco para a publicação de um pequeno livro. Sem hesitar, ele me respondeu com uma de suas citações favoritas, confidenciando que com frequência lê apenas uma ou duas frases de um dos escritos ou dos sermões do Santo Padre para que possa refletir a respeito delas durante o resto do dia. Ele desejava ter um pequeno volume com uma seleção de citações inspiradoras do Papa Francisco que pudesse levar com facilidade para o trabalho e ter consigo no serviço ou durante seus momentos de lazer.

Sandro, este pequeno livro é para você, e para mim, e para todos os que encontraram beleza, inspiração e sabedoria nas palavras do Papa Francisco. Que ele possa continuar a nos ensinar e a nos encantar com suas surpresas e com sua inteligência enquanto o Senhor desejar nos abençoar com seu pontificado. Que este pequeno livro possa permitir que o Papa Francisco venha conosco em nossas jornadas diárias, como nosso confidente, companheiro de viagem e guia.

Andrea Kirk Assaf
Domingo de Páscoa de 2015
Roma, Itália

PARTE UM

Esperança e contentamento

"A contemplação diária
do Evangelho nos ajuda
a ter a verdadeira esperança.
Manter nosso olhar
fixo em Jesus
é o cerne da esperança."

"Proteger a criação,
proteger todos os homens
e todas as mulheres,
olhá-los com ternura e amor,
é descortinar um horizonte de esperança,
é deixar um feixe de luz
irromper por entre as nuvens sombrias,
é proporcionar o calor da esperança!"

"Esta é a esperança cristã:
que o futuro está nas
mãos de Deus."

“Vocês têm, em seus corações,
uma promessa de esperança.
Vocês são portadores de esperança.
Vocês, na verdade, vivem no presente,
mas estão olhando para o futuro.
Vocês são os protagonistas
e os artesãos do futuro.”

“Liberdade e esperança
caminham de mãos dadas [...]
onde quer que não haja esperança
não pode haver liberdade.”

"Não permitam que
sua esperança lhes seja roubada
e sigam em frente!
Pelo contrário,
semeiem esperança."

"Cristo é aquele que renova
todas as maravilhosas coisas da criação.
Ele é a razão de nossa esperança.
E essa esperança
não decepciona porque Ele é fiel.
Ele não pode renunciar a Si mesmo.
Essa é a virtude da esperança."

“A esperança é a mais humilde
das três virtudes teológicas,
pois ela se oculta
nesta vida.”

"É melhor não confundir otimismo com esperança. Otimismo é uma atitude psicológica em relação à vida. A esperança vai além."

"A esperança significa
apoiar nossos corações
em nossos entes queridos, em nossos
ancestrais, no lugar onde os santos se
encontram, onde Cristo se encontra,
onde Deus se encontra."

"[A] esperança não é para uma pessoa só,
a esperança é algo que fazemos juntos!
Nós temos de mantê-la viva juntos,
todos vocês, e todos nós,
que nos encontramos tão longe."

"Há momentos difíceis na vida,
porém, com a esperança, a alma segue
adiante e olha para a frente,
para o que nos espera."

"Qualquer pessoa que exerça
um papel de liderança
– permitam-me dizer,
qualquer pessoa a quem a vida sagrou
como um líder –
precisa ter objetivos práticos
e procurar meios específicos para alcançá-los.
Ao mesmo tempo, sempre existe o risco
da decepção, do ressentimento
e da indiferença,
se nossos planos e objetivos
não se concretizam.
Neste momento, eu faria um
apelo à dinâmica da esperança
que nos inspira
a continuar insistindo,
a empregar todas as nossas energias e
habilidades em nome daqueles

para quem trabalhamos,
aceitando resultados, tornando
possível encontrar novos caminhos,
sendo generosos
mesmo sem resultados aparentes,
e ainda assim
mantendo a esperança viva,
com a constância e a coragem
que surgem da aceitação
da vocação
de líder e guia."

“Todos nós somos convocados
a reavivar em nossos corações
um impulso de esperança,
que deve resultar
em trabalhos concretos para a paz,
a reconciliação
e a fraternidade.”

"Nunca há motivo para
perder a esperança.
Jesus disse: 'Eu estou convosco até a
consumação dos tempos.'"

"Todos os períodos da história
são marcados pela presença da fraqueza, do
egocentrismo, da complacência
e do egoísmo humanos,
para não mencionar a concupiscência
que ronda todos nós.
Essas características estão sempre presentes
sob uma forma ou outra.
Elas se devem aos nossos limites humanos,
e não a situações específicas."

"Que nós não digamos, então,
que as coisas são mais difíceis hoje:
elas são simplesmente diferentes.
Mas que nós aprendamos também com os
santos que se foram antes de nós
e que enfrentaram as dificuldades
de suas próprias épocas.
Assim sendo, eu proponho que façamos
uma pausa para redescobrir
algumas das razões que podem
nos ajudar a imitá-los hoje."

"Para nós, cristãos,
onde quer que exista a cruz,
existe a esperança, sempre.
Se não há esperança,
nós não somos cristãos.
É por isso que eu gosto de pedir que não
permitam que sua esperança
lhes seja roubada.
Que nossa esperança não nos seja roubada,
porque essa força é uma graça,
uma dádiva de Deus
que nos leva adiante
com nossos olhos fixos no paraíso."

"A esperança cristã
não é um espectro e não engana.
Ela é uma virtude teológica e,
portanto, em última análise,
uma dádiva de Deus que não pode ser
reduzida ao otimismo,
que é somente humano.
Deus não tira a esperança
do seu bom caminho.
Deus não pode negar a Si mesmo.
Deus é todo promessa."

"Esse é o contentamento
que nós sentimos diariamente,
entre as coisas simples da vida,
como uma resposta ao apelo amoroso
de Deus nosso Pai:
'Filho, se tens posses,
faze o bem a ti mesmo
[...] Não te prives do bem de um dia'
(Eclo 14, 11-14).
Que doce amor paternal
ecoa em tais palavras!"

"O Evangelho, radiante
com a glória da cruz de Cristo,
constantemente convida-nos a nos
rejubilar [...] Por que não deveríamos também
entrar nesta grande corrente
de contentamento?"

"Ninguém pode nos despojar da dignidade
que nos foi conferida
por esse amor ilimitado e inabalável.
Com uma ternura que jamais decepciona e
é sempre capaz de
restaurar nosso contentamento,
ele torna possível
que nós ergamos a cabeça
e recomecemos mais uma vez."

"Sempre que nossa vida interior
se encontra aprisionada por seus próprios
interesses e inquietações,
não há mais lugar para os demais,
não há lugar para os pobres.
A voz de Deus não é mais ouvida,
o tranquilo contentamento do amor d'Ele
não é mais sentido
e o desejo de fazer o bem se dissipa.
Esse é um perigo real
também para os crentes. Muitos sucumbem
a ele e acabam ressentidos, irados e apáticos.
Essa não é uma vida digna e realizada,
não é o que Deus deseja para nós
e tampouco é a vida no Espírito
que tem origem no coração
do Cristo ressuscitado."

"O contentamento do Evangelho
enche o coração e a vida de todos
os que encontram Jesus.
Aqueles que aceitam
Sua oferta de salvação são libertados
do pecado, do pesar, do vazio interior
e da solidão.
Com Cristo, o contentamento
renasce constantemente."

"O contentamento nasce da gratuidade
de um encontro!
É ouvir alguém dizer,
não necessariamente com palavras:
'Você é importante para mim.'
São Tomás disse:
'*Bonum est diffusivum sui*',
ou seja, a bondade se propaga.
E o contentamento também se propaga.
Não tenham medo de demonstrar o
contentamento de ter respondido
ao apelo do Senhor, de ter respondido
à Sua escolha de amor e de testemunhar o
Seu Evangelho a serviço da Igreja.
E o contentamento, o verdadeiro
contentamento, é contagioso, é infeccioso [...]
ele impulsiona a pessoa para a frente."

"A sociedade tecnológica
foi bem-sucedida em multiplicar
ocasiões prazerosas,
no entanto tem achado muito difícil
produzir contentamento."

"Nós devemos restaurar
a esperança aos jovens,
ajudar os idosos,
estar abertos para o futuro,
disseminar o amor.
Ser pobre entre os pobres.
Nós precisamos incluir os excluídos
e pregar a paz."

"O Evangelho é o verdadeiro antídoto
para a indigência espiritual:
onde quer que vamos,
somos convocados, como cristãos,
a proclamar a nova libertadora
de que o perdão
pelos pecados cometidos é possível,
de que Deus é maior que nossa
pecaminosidade,
de que Ele nos ama espontaneamente,
o tempo todo,
e de que nós fomos feitos
para a comunhão e a vida eterna.
O Senhor nos pede que sejamos portadores
jubilosos dessa mensagem
de misericórdia e de esperança!
É emocionante sentir o contentamento
de disseminar essa boa nova,

compartilhar o tesouro
que nos foi confiado,
consolar os corações sofredores
e oferecer esperança a
nossos irmãos e irmãs que estão vivendo
momentos de escuridão.
Isso quer dizer seguir
e imitar Jesus,
que buscou os pobres e os pecadores
como um pastor
que amorosamente procura
suas ovelhas desgarradas."

PARTE DOIS

Fé e oração

“Ter fé não significa
não passar por dificuldades,
mas ter forças
para enfrentá-las,
sabendo que
não estamos sozinhos.”

"A chave que abre a porta
para a fé é a oração,
mas uma coisa é rezar,
e outra coisa
é recitar orações."

"A pessoa que crê
não pode ser presunçosa;
pelo contrário,
a verdade conduz à humildade,
porque os que creem sabem
que, em vez de possuirmos a verdade,
é a verdade que nos abraça
e nos possui."

"A fé não é um refúgio para
os fracos de coração,
mas algo que engrandece nossa vida.
Ela traz a consciência
de um chamado magnífico:
a vocação do amor.
Ela nos garante que esse amor
é confiável e digno de ser abraçado,
pois ele se baseia na fidelidade de Deus,
que é mais forte que
todas as nossas fraquezas."

“É claro que nós nunca poderemos fazer
com que os ensinamentos da Igreja
sejam facilmente compreendidos
ou prontamente apreciados por todos.
A fé sempre conserva certos aspectos
de uma cruz;
ela retém uma obscuridade
que não lhe tira a firmeza de sua adesão.
Algumas coisas somente
são compreendidas e apreciadas a partir
do ponto de vista dessa adesão,
que é irmã do amor
e está além do alcance
de razões claras e de argumentos.”

"A fé é um caminho
que trilhamos com Jesus [...] e
é um caminho que dura toda a nossa vida.
No fim, o encontro definitivo irá acontecer.
Certamente, nós vamos nos sentir
cansados e confusos
em alguns momentos durante o caminho.
Entretanto, a fé nos dá a certeza
da presença constante de Jesus
em todas as ocasiões, mesmo
nas mais dolorosas
e difíceis de entender."

"A fé não é uma luz
que dispersa toda a nossa escuridão,
mas uma lâmpada que guia nossos passos
pela noite e é suficiente para a jornada.
Para aqueles que sofrem,
Deus não oferece argumentos
que explicam tudo; pelo contrário,
a resposta d'Ele é a de uma presença que
acompanha, uma história de bondade
que toca cada narrativa de sofrimento
e mostra um raio de luz."

"A verdadeira fé no Filho encarnado de Deus
é inseparável da abnegação,
da participação na comunidade,
do serviço, da reconciliação com outros.
O Filho de Deus, ao tornar-se carne,
convocou-nos para
a revolução da ternura."

"Com os olhos da fé,
nós podemos ver a luz
que o Espírito Santo
sempre irradia em meio à escuridão,
jamais esquecendo
que 'onde se multiplicou o pecado,
a graça transbordou' (Rm 5, 20).
Nossa fé é desafiada a entender
como o vinho pode vir da água
e como o trigo pode crescer em meio
a ervas daninhas."

"Viver através da fé significa
colocar nossa vida nas mãos de Deus,
sobretudo nos momentos
mais difíceis."

"Cruzar o umbral da fé
significa desenvolver
um senso de dignidade
e ver o serviço como uma vocação.
Isso quer dizer
servir desinteressadamente
e estar preparado para recomeçar
sempre, sem ceder ao cansaço,
como se tudo que tivesse sido feito
até então fosse somente
um passo na jornada
em direção ao Reino,
à plenitude da vida.
É o momento tranquilo de espera
depois do plantio
e da contemplação diária
da colheita que foi realizada.

É dar graças ao Senhor
porque Ele é bom
e pedir-Lhe que não renuncie
ao trabalho de Suas mãos
(Sl 138, 8)."

"Cruzar o umbral da fé
significa manter nossos olhos
repletos de admiração
e não permitir que nossos corações se
habituem à indolência.
Significa sermos capazes de reconhecer
que cada vez que uma mulher dá à luz
um filho mais uma aposta é feita a favor
da vida e do futuro,
que quando nos demonstramos preocupados
com a inocência das crianças
nós garantimos a verdade do porvir
e que quando estimamos uma pessoa idosa
e abnegada estamos realizando um
ato de justiça
e abraçando as nossas
próprias raízes."

“Ter fé é abrir espaço
para o amor de Deus, abrir espaço
para o poder d’Ele [...]
para o poder d’Aquele que me ama
e que deseja rejubilar-se comigo.
Isso é fé.
Isso é acreditar:
abrir espaço para o Senhor,
de modo que
Ele possa vir e me modificar.”

"Jesus é o Salvador
e nós somos salvos por Ele.
Isso é o mais importante.
E essa é a força de nossa fé."

"A fé em Jesus Cristo não é uma brincadeira.
Ela é algo muito sério.
É um escândalo que Deus se tenha
feito um de nós.
É um escândalo que
Ele tenha morrido na cruz.
É um escândalo: o escândalo da cruz.
A cruz continua a provocar escândalo.
Porém, ela mostra o único caminho seguro,
o caminho da cruz, o caminho de Jesus,
o caminho da encarnação de Jesus.
Por favor, não diluam sua fé em Jesus Cristo.
Nós diluímos sucos de frutas
– laranja, maçã ou banana –
mas, por favor, não bebam uma forma
diluída de fé."

"Se vivemos a fé em nossa vida diária,
nosso trabalho também passa a ser
uma chance de disseminar
o contentamento de ser cristão."

“O Espírito Santo é a força motriz.
É por isso que a oração é importante.
Ela é a alma de nosso compromisso
como homens e mulheres
de comunhão, de unidade.
Rezem ao Espírito Santo
para que ele venha
e crie unidade na Igreja.”

“Ser amigo de Deus
significa rezar com simplicidade,
como crianças
conversando com seus pais.”

“Todos nós temos as nossas
preferências e antipatias,
e talvez estejamos zangados com alguém
neste exato momento.
Pelo menos, que nós possamos
dizer ao Senhor:
‘Senhor, estou zangado com essa pessoa
e com aquela pessoa.
Eu rezo a Vós por elas.’
Rezar por uma pessoa
com a qual estou zangado
é um belo passo adiante no amor
e um ato de evangelização.”

"Eu pergunto a vocês todos [...]
mas respondam no silêncio dos seus
corações, e não em voz alta:
Eu rezo? Eu converso com Jesus
ou tenho medo do silêncio?
Eu permito que o Espírito Santo
se manifeste em meu coração?
Eu pergunto a Jesus:
'O que Tu desejas de mim?
O que Tu desejas de minha vida?'
Isso é treinar.
Perguntem a Jesus, falem com Jesus,
e se vocês cometerem
um erro em sua vida, se caírem,
se fizerem algo errado,
não tenham medo.
'Jesus, vê o que eu fiz.
O que devo fazer agora?'

Conversem continuamente com Jesus,
nos momentos bons e ruins,
quando vocês agirem corretamente
e quando errarem.
Não O temam!
Isso é oração."

"Milagres acontecem.
Mas a oração é necessária!
Oração que seja
corajosa, batalhadora e perseverante,
e não uma oração
que é mera formalidade."

“Rezar é insistir a ponto de aborrecer,
mas com uma certeza inabalável.
Jesus sente nossa necessidade
quando rezamos
e também sente que temos a certeza
de Seu auxílio.”

"Rezem sempre, mas não para convencer
o Senhor com a força das palavras!
Rezem como uma expressão de fé em
um Deus que nos convoca
para lutar junto com Ele, a cada dia,
a cada momento, e
para vencer o mal com o bem."

"Nós realmente rezamos?
Sem um relacionamento duradouro
com Deus, é difícil levar
uma vida cristã autêntica e consistente."

"Perguntem a si mesmos:
'Quanto espaço eu dou ao Senhor?
Eu paro para conversar com Ele?'
Quando éramos crianças,
nossos pais nos ensinaram a começar e
a terminar o dia com uma oração,
para que sentíssemos que a amizade e o amor
de Deus nos acompanham.
Que nós nos lembremos mais do Senhor
em nossa vida diária!"

"Diante de tantas feridas
que nos machucam
e que poderiam levar a um
endurecimento do coração, somos
chamados a mergulhar
em um mar de oração,
que é o mar do infinito amor de Deus,
de modo a vivenciar Sua ternura."

PARTE TRÊS

A Igreja e a evangelização

"A Igreja não é uma organização cultural, mas a família de Jesus."

"Que a Igreja possa ser
o local da misericórdia
e da esperança de Deus,
onde todos se sintam bem-vindos,
amados, perdoados e encorajados.
A Igreja deve manter as portas escancaradas,
de modo que todos possam entrar.
E nós temos de passar por essas portas
e proclamar o Evangelho."

"Nós precisamos de santos sem batinas,
sem véus...
Nós precisamos de santos que
usam jeans e tênis.
Nós precisamos de santos
que vão ao cinema,
que ouvem música,
que saem com os amigos [...]
Nós precisamos de santos que
bebem Coca-Cola,
que comem cachorro-quente,
que navegam na internet
e que ouvem música em seus iPods.
Nós precisamos de santos
que amam a eucaristia
e que não têm medo
ou vergonha de comer uma pizza
ou de beber uma cerveja
com seus amigos.

Nós precisamos de santos
que amam filmes,
dança, esportes, teatro.
Nós precisamos de santos que são
companheiros sociáveis, normais e felizes.
Nós precisamos de santos
que estão neste mundo e
que sabem como apreciá-lo
em seu melhor sem ser insensíveis
ou mundanos.
Nós precisamos de santos."

"Nosso gesto de amor
mais ínfimo beneficia a todos!
Portanto, viver a unidade da Igreja
e a comunhão da caridade
não é buscar seus próprios interesses,
mas compartilhar o sofrimento
e a alegria dos nossos irmãos
(1Cor 12, 26),
prontos para carregar
o fardo dos mais pobres e mais fracos.
Essa solidariedade fraternal
não é uma figura de linguagem,
um ditado,
mas uma parte integral
da comunhão entre os cristãos."

“Nós não nos tornamos cristãos sozinhos.
A fé, acima de tudo,
é uma dádiva de Deus,
que nos é dada
na Igreja
e por meio da Igreja.”

"A Igreja deve ser um local
onde a misericórdia seja espontânea,
onde todos se sintam bem-vindos,
amados, perdoados e encorajados
a viver a boa vida do Evangelho."

“A Igreja não precisa
de defensores de suas causas
nem de combatentes de suas batalhas,
mas de semeadores
modestos e confiantes
na verdade, que [...]
confiam em seu poder.”

“Vocês poderiam me dizer
que a Igreja é feita de pecadores
e que nós os vemos todos os dias.
E isso é verdade:
nós somos uma Igreja de pecadores.
E nós, pecadores, somos convocados
a deixar-nos transformar,
renovar e santificar por Deus.”

"A imagem da Igreja
de que eu gosto é aquela do
sagrado e fiel povo de Deus. [...]
Pertencer a um povo tem um forte
valor teológico.
Na história da salvação,
Deus salvou um povo.
Não existe uma identidade completa
sem o pertencimento a um povo.
Ninguém é salvo sozinho,
como um indivíduo isolado.
Deus nos atrai olhando para
a complexa rede de relacionamentos
que existe na comunidade humana."

“Eu prefiro uma Igreja que
está machucada, ferida e manchada
porque foi às ruas,
a uma Igreja enferma
por estar confinada e apegada
à sua própria segurança.
Eu não desejo uma Igreja preocupada
em estar no centro
e que termine presa
em uma rede de
obsessões e de procedimentos.”

“Frequentemente, nós agimos
como árbitros da graça,
e não como seus facilitadores.
Mas a Igreja não é uma aduana:
ela é a morada do Pai,
onde há lugar para todas as pessoas,
com todos os seus problemas.”

“Essa Igreja com a qual
nós deveríamos nos unir em reflexão
é o lar de todos nós,
e não uma pequena capela
que somente pode acolher um
grupo seleto de pessoas.
Nós não podemos reduzir
o colo da Igreja universal a um ninho
que protege nossa mediocridade.
A Igreja é a Mãe.
A Igreja é fecunda.
Ela tem de ser.
Vejam, quando eu percebo
um comportamento negativo
nos ministros da Igreja,
ou em homens e mulheres consagrados,
a primeira coisa
que me vem à cabeça é:

'Eis um solteirão improdutivo' ou
'Eis uma solteirona.'
Eles não são nem pais nem mães,
no sentido de que não têm sido capazes de
proporcionar uma vida espiritual.
Pelo contrário, quando leio sobre
a vida dos missionários salesianos
na Patagônia, vejo uma história
de completude da vida,
de produtividade."

"O povo em si constitui uma unidade.
E a Igreja é o povo de Deus
na jornada ao longo da história,
com alegrias e pesares.
Pensar com a Igreja, portanto,
é o meu modo de ser parte desse povo.
E todos os fiéis, considerados em conjunto,
são infalíveis em questões de crença.
As pessoas demonstram essa
infallibilitas in credendo,
essa infalibilidade na crença,
por meio de uma percepção sobrenatural
da fé de todas as pessoas
que caminham juntas."

"A Igreja, que é sagrada,
não rejeita os pecadores.
Ela não rejeita todos nós,
e sim convoca todas as pessoas,
acolhe-as, abre-se até para os que estão
mais distantes dela.
Ela convoca todas as pessoas para
que consintam ser envoltas
pela misericórdia, pela ternura
e pelo perdão do Pai."

"O mundanismo espiritual
leva alguns cristãos
a lutarem contra outros cristãos
que estejam em seu caminho
de busca pelo poder, pelo prestígio,
pelo prazer e pela segurança econômica.
Alguns nem mesmo se contentam
em viver como parte de
uma comunidade eclesiástica maior
e nutrem um espírito de exclusividade,
criando um 'clubinho'.
Em vez de pertencer à Igreja em geral,
com toda a sua variedade,
eles pertencem a este ou àquele grupo
que se considera
diferente ou especial."

"Deus nos livre
de uma Igreja mundana
com uma espiritualidade superficial
e armadilhas pastorais!
Esse mundanismo asfixiante só pode
ser curado respirando
o ar puro do Espírito Santo,
que nos liberta do egocentrismo disfarçado
de uma aparente religiosidade
destituída de Deus.
Que nós não aceitemos
que nos roubem o Evangelho!"

"Com quanta frequência concebemos
projetos apostólicos grandiosos,
meticulosamente planejados,
assim como fazem generais derrotados!
Isso significa negar nossa história
como Igreja, que é gloriosa
precisamente porque é uma história
de sacrifício, de esperanças, de lutas diárias,
de vidas passadas fielmente
a serviço do trabalho,
por mais cansativo que possa ser,
pois todo trabalho é
'o suor de nossos rostos'."

"O que significa 'evangelizar'?
Dar testemunho, com alegria e simplicidade,
do que nós somos
e daquilo em que cremos."

“Praticar a caridade
é o melhor modo de evangelizar.”

"Se alguma coisa deveria
com razão nos incomodar
e perturbar nossa consciência
é o fato de que tantos de nossos
irmãos e irmãs
vivam sem a força, a luz
e o consolo que vêm da amizade
com Jesus Cristo,
sem uma comunidade de fé
para dar-lhes apoio,
sem um sentido
e um objetivo na vida."

"O contentamento do Evangelho
é tamanho que não pode ser tirado de nós
por nada e por ninguém (Jo 16, 22).
Os males de nosso mundo
– e os males da Igreja –
não podem ser desculpas para diminuirmos
nosso comprometimento e nosso fervor.
Que nós os olhemos como desafios que
podem nos ajudar a crescer."

"É necessária uma evangelização
capaz de lançar uma luz sobre
os novos modos
de relacionar-se com Deus,
com outras pessoas e com o mundo
que nos rodeia
e de inspirar valores essenciais.
Ela deve alcançar os lugares onde
as novas narrativas e os novos paradigmas
estão sendo formados,
levando a palavra de Jesus
até a alma mais recôndita
de nossas cidades."

"O sentido unificado
e completo da vida humana proposto
pelo Evangelho
é o melhor remédio para as mazelas
de nossas cidades,
embora tenhamos de compreender
que um programa uniforme e rígido
de evangelização não é adequado para essa
realidade complexa.
Mas viver nossa vida humana ao máximo
e encarar cada desafio como um fermento
do testemunho do Evangelho
em cada cultura e em cada cidade
fará de nós cristãos melhores e dará frutos
em nossas cidades."

"Que nós testemunhemos
a novidade, a esperança e o contentamento
que o Senhor traz à vida.
Que nós sintamos
'o jubiloso e reconfortante contentamento
da evangelização'
(exortação apostólica de Paulo VI
Evangelii Nuntiandi, nº 80).
Porque evangelizar, proclamando Jesus,
traz contentamento.
Por outro lado, o egoísmo nos torna
amargos, tristes e deprimidos.
Evangelizar nos anima."

"Ouçam com atenção:
'A evangelização é feita de joelhos.'
Sem um relacionamento constante
com Deus, a missão se transforma
em um emprego [...]
Não. Ela não é um emprego,
mas algo diferente.
O risco do ativismo, de confiar demais
em estruturas, é um perigo sempre presente.
Se olharmos para Jesus,
veremos que, antes de qualquer decisão ou
acontecimento importante,
Ele se recolhia em oração intensa
e prolongada.
Que nós cultivemos a
dimensão contemplativa,
mesmo em meio ao tumulto
de tarefas mais urgentes e pesadas.

E quanto mais a missão
convocá-los para que se dirijam às
margens da existência,
mais devem permitir que seu coração
fique mais intimamente unido
ao coração de Cristo,
repleto de misericórdia e de amor.
Aí está o segredo
da fecundidade pastoral,
da fecundidade de
um discípulo do Senhor!"

"Um evangelizador jamais deve parecer alguém que acabou de voltar de um funeral."

"Quando a Igreja perde [...]
a coragem apostólica, passa a ser
uma Igreja sem vida.
Organizada, talvez
– e agradável, muito agradável –,
mas estéril, porque perdeu a coragem
de ir às periferias, onde há tantas pessoas
vítimas da idolatria, da mundanidade
e do pensamento fraco [...]
As pessoas que não caminham
porque temem cometer um erro
cometem o mais sério dos erros."

"Uma presença pastoral
significa caminhar com o Povo de Deus.
Caminhar na frente dele,
mostrando-lhe a direção,
mostrando-lhe o caminho;
caminhar no meio dele, para fortalecê-lo
em sua unidade;
e caminhar atrás dele,
para ter a certeza de que
ninguém será deixado para trás
nem, sobretudo, perderá o contato
com o Povo de Deus
para descobrir novas trilhas."

"Não é a criatividade,
por mais pastoral que possa ser,
nem são os encontros e os planejamentos
que garantem nossa fecundidade,
mesmo que sejam de grande ajuda.
O que garante nossa fecundidade
é sermos fiéis a Jesus,
que diz com insistência:
'Permanecei em mim,
e eu permanecerei em vós'
(Jo 15, 4)."

“Uma proclamação deve ressoar
repetidamente nos lábios do catequizador:
‘Jesus Cristo ama vocês,
Ele deu Sua vida para sua salvação
e agora Ele está vivendo ao seu lado,
todos os dias,
para iluminar, fortalecer
e libertar vocês.’”

“Essa é exatamente a razão da insatisfação
de algumas pessoas, que acabam
se tornando tristes – padres tristes –,
transformando-se de algum modo
em colecionadores de antiguidades
ou de novidades em vez de serem pastores
que vivem com o ‘cheiro das ovelhas’.
Isso eu peço a vocês:
sejam pastores que vivem
com o ‘cheiro das ovelhas’,
sejam realmente pastores em meio
ao seu rebanho,
pescadores de homens.”

"Em vez de impor novas obrigações,
[os cristãos]
deveriam mostrar-se pessoas
que desejam compartilhar sua alegria,
que apontam para um horizonte de beleza e
que convidam outras
para um delicioso banquete."

"Antes de tudo, o Evangelho nos convida a
responder ao Deus de amor
que nos salva,
a ver Deus nas outras pessoas
e a nos distanciarmos de nós mesmos
para buscar o bem de outros."

“Ninguém pode ir à luta
se não estiver totalmente
convencido da vitória.
Se começamos sem confiança, já perdemos
metade da batalha
e enterramos nossos talentos.
Embora dolorosamente conscientes
de nossas próprias fraquezas,
temos de seguir adiante sem ceder,
tendo em mente o que
o Senhor disse a São Paulo:
‘Basta-te a minha graça, pois
é na fraqueza que a força
se realiza plenamente’ (2Cor 12, 9).
O triunfo cristão é sempre uma cruz,
no entanto uma cruz
que é ao mesmo tempo um
estandarte vitorioso

empunhado com ternura lutadora
contra os ataques do mal.
O mau espírito do derrotismo é irmão da
tentação de separar,
antes que seja a hora,
o trigo do joio.
É o fruto de uma ansiosa e egocêntrica
falta de confiança."

“A linguagem do Espírito,
a linguagem do Evangelho,
é a linguagem da comunhão, que nos convida
a derrotar o retraimento, a indiferença,
a divisão e o antagonismo.”

"O Evangelho nos diz
para corrigirmos as outras pessoas
e ajudá-las a crescer
tendo como base o reconhecimento da
maldade de suas ações (Mt 18, 15),
mas sem fazer julgamentos
sobre a responsabilidade
e a culpabilidade delas
(Mt 7, 1; Lc 6, 37)."

"Porém, sejam cautelosos! Jesus não diz:
'Ide e fazei as coisas por vós mesmos.'
Não! Não é isso que Ele diz.
Jesus diz:
'Ide, pois Eu estou convosco!'
Isso é o que é tão belo para nós,
o que nos guia. Se partimos para levar
Seu Evangelho com amor, com um verdadeiro
espírito apostólico, com franqueza,
Ele caminha conosco,
Ele vai à nossa frente
e Ele chega antes.
Como dizemos em espanhol,
nos primerea.
Agora vocês sabem o que
quero dizer com isso.
É o mesmo que a Bíblia nos diz.
Na Bíblia, o Senhor diz que é como
a flor da amendoeira.

Por quê? Porque ela é a primeira flor
a desabrochar na primavera.
Ele é sempre o primeiro!
Isso é fundamental para nós:
Deus está sempre à nossa frente!
Quando pensamos em ir muito longe,
a uma periferia distante,
podemos sentir um pouco de medo,
mas, na verdade,
Deus já está lá.
Jesus está nos esperando
nos corações de nossos irmãos e irmãs,
em seus corpos feridos,
em seus sofrimentos,
em sua falta de fé."

"É urgentemente necessário descobrir
novas formas de garantir
que a graça de Deus toque o coração
de cada homem e de cada mulher
e conduza todos até Ele.
Nós somos Seus instrumentos
simples, porém importantes,
e não recebemos a dádiva da fé
para mantê-la escondida, mas,
pelo contrário, para divulgá-la, de modo
que ela possa iluminar muitos
de nossos irmãos em sua caminhada."

"Que ele [o Espírito Santo]
possa dar a todos o fervor apostólico
e que possa também nos conceder a graça de
nos sentir desconfortáveis
em relação a certos aspectos da Igreja que são
demasiadamente inconsistentes,
a graça de seguirmos na direção
das periferias existenciais.
A Igreja precisa muito disso!
Não somente em terras longínquas
e em igrejas recentes, com povos que
ainda não conhecem Jesus Cristo,
mas aqui na cidade, bem aqui na cidade,
nós precisamos da mensagem
de Jesus Cristo."

“Toda forma de catequese
faria muito bem em prestar atenção
à ‘via da beleza’ (*via pulchritudinis*).
Proclamar Cristo significa mostrar
que acreditar n’Ele e segui-Lo
não é somente algo correto e verdadeiro,
mas também algo belo
e capaz de preencher a vida
com um novo esplendor
e uma alegria profunda, mesmo em
meio às dificuldades.
Toda manifestação da verdadeira beleza
pode então ser reconhecida como um
caminho que conduz a um encontro com
o Senhor Jesus.

Isso não tem a menor relação
com fomentar um relativismo estético
que poderia enfraquecer o elo inseparável
entre a verdade, a bondade e a beleza,
mas sim com uma estima renovada
pela beleza como um modo de tocar
o coração humano
e permitir que a verdade
e a bondade
do Cristo Ressuscitado
irradiem dentro dele."

"Sair ao encontro das outras pessoas,
de modo a alcançar
as periferias da humanidade,
não significa sair em uma corrida
desabalada pelo mundo.
Com frequência, é melhor
simplesmente ir mais devagar,
deixar de lado nossa ansiedade
para ver e ouvir as outras pessoas,
parar de correr de uma coisa para outra
e manter-se com alguém que vacilou
ao longo da jornada.
Às vezes, nós temos de ser como o pai do
filho pródigo, que sempre mantém sua
porta aberta para que, ao retornar,
o filho possa passar
com facilidade por ela."

"Um coração missionário
está ciente desses limites
e se faz fraco com os fracos,
se faz tudo para todos (1Cor 9, 22).
Ele jamais se fecha,
jamais se refugia em sua própria segurança,
jamais opta pela rigidez e pela defensiva.
Ele percebe que tem de crescer em sua
própria compreensão do Evangelho
e no discernimento
dos caminhos do Espírito,
e assim sempre faz todo o bem
de que é capaz,
mesmo se for preciso
sujar seus sapatos com a lama das ruas."

"O ideal cristão sempre será um chamado
para superar a suspeita,
a desconfiança habitual,
o temor de perder nossa privacidade
e todas as atitudes defensivas
que o mundo atual
impõe sobre nós."

"Santidade não quer dizer fazer
coisas extraordinárias,
mas fazer as coisas comuns
com amor e fé."

"Deus convoca cada um
a fazer escolhas definitivas
e tem um projeto para cada um de nós:
descobrir esse projeto
e responder à sua vocação
é avançar na direção da realização pessoal.
Deus nos convoca para que sejamos sagrados,
para que vivamos Sua vida,
mas Ele tem um caminho específico
para cada um de nós."

"Estas são as duas condições
para seguir Jesus:
ouvir a palavra de Deus
e colocá-la em prática.
Essa é a vida cristã, nada mais."

"Portanto, cada vocação,
mesmo dentro da variedade de caminhos,
requer sempre um êxodo de si mesmo
de modo a centralizar sua vida em Cristo
e em Seu Evangelho.
Tanto na vida conjugal quanto
nas formas de consagração religiosa,
bem como na vida sacerdotal,
nós temos de sobrepujar os modos
de pensar e de agir que não estão de acordo
com a vontade de Deus.
É um êxodo que nos conduz a uma jornada
de adoração do Senhor e de serviço a Ele
em nossos irmãos e irmãs.
Portanto, todos nós somos convocados a
adorar Cristo em nossos corações
(1Pd 3,15), de modo que permitamos
ser tocados pelo impulso da graça

contida na semente da palavra,
que deve crescer em nós e ser transformada
em serviço concreto para o nosso próximo.
Nós não precisamos ter medo:
Deus acompanha a obra de Suas mãos
com paixão e mestria em cada fase da vida.
Ele jamais nos abandona!
Ele conhece Seu plano para nós,
e ainda assim deseja alcançá-lo
com nosso consentimento e cooperação."

"O cristão é alguém
capaz de fazer-se pequeno
para que o Senhor possa ser maior
em seu coração
e no coração dos demais."

“Que nós protejamos
Cristo em nossas vidas
para que possamos proteger os
demais, para que possamos
proteger a criação!”

"Jesus não o obriga a ser um cristão.
Mas, se você diz que é um cristão, precisa
acreditar que Jesus
tem todo o poder – e que é o único
que tem todo o poder –
de renovar o mundo, de renovar sua vida,
de renovar sua família, de renovar a
comunidade, de renovar todas as coisas."

"Que nós jamais nos acostumemos com a pobreza e com a ruína ao nosso redor. Um cristão precisa agir."

"'Quando quero fazer o bem,
é o mal que se me apresenta':
eis a luta dos cristãos."

“Se vocês se acostumam com uma vida
mediana e dizem
‘Eu acredito em Jesus Cristo,
mas vivo como quero’,
não estão santificados.
Isso não está certo, isso é um absurdo.
[Porém] se vocês dizem
‘Sim, sou um pecador, sou fraco’
e continuamente se voltam para o Senhor
e Lhe dizem
‘Senhor, Tu tens o poder, aumenta minha fé,
Tu podes me curar’,
então, por meio do sacramento da
reconciliação, até mesmo nossas imperfeições
são aceitas nesse modo de santificação.”

"É um importante desafio
mostrar que jamais
será encontrada uma solução
na fuga de um relacionamento pessoal
e compromissado com Deus,
que, ao mesmo tempo, compromete-nos
a servir aos demais. Isso acontece com
frequência hoje em dia, à medida que
os crentes tentam se esconder
ou se manter afastados dos demais ou passam
silenciosamente de um lugar para outro,
ou de uma tarefa para outra,
sem criar laços profundos e estáveis."

"Formas genuínas
de religiosidade popular
são encarnadas, pois elas nascem da
encarnação da fé cristã na cultura popular.
Por esse motivo, elas envolvem um
relacionamento pessoal, não com vagas
energias ou forças espirituais,
mas com Deus, com Cristo, com Maria,
com os santos.
Essas devoções têm um corpo, têm um rosto.
Elas são capazes de alimentar
relacionamentos e não simplesmente
permitir o escapismo."

“Não consigo conceber um cristão
que não saiba sorrir.
Que nós possamos dar testemunho
da nossa fé com alegria.”

“Estamos abertos para o Espírito Santo?
Permitimos que sejamos guiados por ele?
Os cristãos são espirituais.
Isso não quer dizer que sejamos pessoas que
vivem no mundo da lua,
muito afastadas da vida real,
como se ela fosse um tipo de miragem.
Não! O cristão é alguém que pensa
e age na vida cotidiana
segundo a vontade de Deus,
alguém que permite que sua vida seja guiada
e alimentada pelo Espírito Santo, para ser
uma vida plena, uma vida digna
de verdadeiros filhos e filhas.”

“Eis a primeira palavra que desejo
dizer a vocês: alegria!
Não sejam homens e mulheres tristes: um
cristão não pode ser triste!
Nunca cedam ao desânimo!
Nossa alegria não nasce de ter muitas posses,
mas de ter encontrado uma Pessoa,
Jesus, entre nós.”

"As tarefas sobre as quais Jesus fala exigem
a habilidade de demonstrar compaixão;
nossos corações têm de ser 'comovidos'
e estar totalmente engajados
em realizar essas tarefas.
Nós temos de nos regozijar com os casais
que se casam,
nós temos de rir com as crianças
levadas à pia batismal,
nós temos de acompanhar jovens
comprometidos e famílias,
nós temos de sofrer com aqueles que recebem
a unção dos enfermos
em seus leitos hospitalares, nós temos de
lamentar com aqueles
que enterram um ente querido."

"Nós somos amigos do Esposo:
este é nosso contentamento.
Se Jesus está pastoreando o rebanho entre nós, não podemos ser pastores carrancudos, lamuriosos ou, ainda pior, entediados.
O cheiro das ovelhas e o sorriso de um pai [...] cansado, sim, mas com o contentamento daqueles que ouvem o Senhor dizer:
'Vinde, benditos de meu Pai' (Mt 25, 34)."

"Jesus não deseja
que sigamos o caminho da autossuficiência.
Para que sejamos bons cristãos, temos de
reconhecer que somos pecadores.
Se não reconhecemos que somos pecadores,
não somos bons cristãos.
Essa é a primeira condição.
Porém, temos de ser específicos:
'Eu sou um pecador por causa disto e
por causa daquilo.'
Essa é a primeira condição
para seguir Jesus."

"Jamais me canso de repetir algumas palavras
de Bento XVI que nos conduzem ao próprio
cerne do Evangelho:
Ser cristão não é resultado de uma escolha
ética ou de uma ideia sublime,
mas o encontro com um acontecimento, uma
pessoa, que dá à vida um novo horizonte
e uma direção decisiva.'"

"Quando dizemos que um cristão
é um ser espiritual,
queremos dizer apenas que o
cristão é uma pessoa que vive e pensa
de acordo com Deus, de acordo com
o Espírito Santo.
Porém, eu me pergunto: E nós?
Nós pensamos de acordo com Deus?
Nós agimos de acordo com Deus?
Ou permitimos que sejamos guiados pelas
muitas outras coisas que certamente
não provêm de Deus?
Cada um de nós precisa responder a isso
no mais profundo de seu coração."

"Uma pergunta final:
o que eu, um frágil pecador, posso fazer?
Deus lhes diz que não tenham medo da
santidade, não tenham medo de
ter grandes desígnios,
não tenham medo de ser amados
e purificados por Deus,
não tenham medo de ser conduzidos pelo
Espírito Santo.
Que nós sejamos contagiados
pela santidade de Deus.
Todo cristão é convocado à santidade,
e a santidade não consiste especialmente
em fazer coisas extraordinárias,
mas em permitir que Deus aja."

"Há uma frase famosa do escritor francês
Léon Bloy, que, nos últimos momentos
de sua vida, disse:
'A única tristeza verdadeira na vida é
não se tornar santo'.
Que nós não percamos a esperança da
santidade, que sigamos esse caminho.
Nós queremos ser santos?
O Senhor nos espera com os braços abertos
para nos acompanhar no caminho
para a santidade.
Que nós vivamos no
contentamento de nossa fé,
que nos deixemos ser amados
pelo Senhor [...] que supliquemos por essa
dádiva de Deus na oração, para nós e
para as outras pessoas."

"Cristãos sedentários e cristãos letárgicos
não conhecerão a face de Deus.
Eles não O conhecem.
É preciso certa inquietude para seguir nesse
caminho, a mesma inquietude que Deus
colocou em cada coração
e que nos impele
a seguir adiante para buscá-Lo."

"Uma vida cristã tem de ser defendida,
e isso requer tanto força como coragem.
Nenhuma vida espiritual,
nenhuma vida cristã, é possível
sem resistir às tentações,
sem usar a armadura de Deus,
que nos dá forças e nos protege."

"O bom pastor, o bom cristão,
volta-se na direção dos outros,
está sempre voltado para os outros.
Ele se afasta de si mesmo
e move-se na direção de Deus
na oração, na adoração.
Ele se dirige às outras pessoas
para levar-lhes a mensagem da salvação."

"Cristãos são homens e mulheres
que abençoam.
O cristão, por intermédio de sua vida,
deve sempre abençoar a Deus e aos demais.
Nós, cristãos, somos pessoas que abençoam
e que sabem abençoar.
Essa é uma bela vocação."

"O 'jugo' do Senhor consiste em assumir
o fardo de outras pessoas sobre seus ombros
e fazê-lo com amor fraternal.
Uma vez que tenhamos recebido o alento
e o conforto de Cristo,
somos chamados para que nos tornemos
o alento e o conforto
de nossos irmãos e irmãs,
com uma atitude meiga e modesta,
imitando o Mestre."

"Nós não somos cristãos
'em meio período',
somente em determinados momentos, em
determinadas circunstâncias,
em determinadas decisões.
Ninguém pode ser cristão desse modo...
Nós somos cristãos o tempo todo!
Totalmente!"

“Os mandamentos não são uma
ladainha de proibições:
vocês não podem fazer isto, vocês
não podem aquilo...
Pelo contrário, eles são um grande ‘Sim!’:
um sim para Deus,
para o amor, para a vida.”

"Nossa vida não termina
diante da pedra do sepulcro!
Ela vai além, com a esperança do
Cristo que ressuscitou!
Nós somos convocados, como cristãos,
a ser sentinelas do alvorecer
e a conseguir perceber os sinais
do Ressuscitado."

"Ser santo não é um privilégio para poucos, mas uma vocação para todos!"

"Todos são convocados,
todos são enviados [...]
O chamado de Deus pode chegar até nós
em uma linha de montagem, em um
escritório, em um supermercado ou em uma
escadaria, ou seja, nos locais
da vida cotidiana."

"Eu exorto vocês a
servirem ao Jesus crucificado em todas as
pessoas que estão marginalizadas,
por quaisquer razões, a verem o Senhor
em todas as pessoas excluídas
que estão com fome, com sede ou nuas,
a verem o Senhor
presente até mesmo naqueles
que perderam a sua fé, afastaram-se
da prática de sua fé ou dizem que são ateus,
a verem o Senhor que está preso, doente,
desempregado, perseguido,
a verem o Senhor no leproso
– quer seja no corpo ou na alma –
que se depara com a discriminação!

Nós não vamos encontrar o Senhor
a não ser que aceitemos
verdadeiramente os marginalizados!
Que nós possamos sempre ter diante de nós
a imagem de São Francisco,
que não tinha medo de abraçar o leproso
e de aceitar todos os tipos de excluídos.
Verdadeiramente, caros irmãos,
é no evangelho dos marginalizados
que nossa credibilidade é colocada em jogo,
descoberta e revelada!"

PARTE QUATRO

Amor e verdade

"A maior parte das pessoas, nos dias de hoje,
não considera que o amor está
relacionado à verdade.
O amor é visto como uma experiência
associada ao mundo das emoções fugazes,
não mais à verdade.
Mas essa é uma descrição adequada do amor?
O amor não pode ser reduzido
a uma emoção efêmera.
É verdade que ele envolve nosso afeto,
mas com o intuito de abri-lo
aos nossos seres queridos e, desse modo,
iluminar um caminho que afasta do
egocentrismo e conduz na
direção de outra pessoa, de modo a construir
um relacionamento duradouro.
O amor deseja a união com o ser amado.
Aqui, nós começamos a ver como o amor
requer a verdade.

Somente na medida em que se sustenta na verdade o amor consegue perdurar ao longo do tempo, transcender um momento fugaz e ser suficientemente sólido para dar apoio a uma jornada compartilhada.
Se não está ligado à verdade, o amor sucumbe a emoções passageiras e não consegue suportar o teste do tempo.
O verdadeiro amor, por outro lado, unifica todos os elementos de nossa pessoa e transforma-se em uma nova luz, indicando o caminho para uma vida grande e plena.
Sem a verdade, o amor é incapaz de estabelecer laços sólidos.
Ele não é capaz de libertar nosso ego isolado nem de resgatá-lo de momentos fugazes de modo a criar vida e a dar frutos."

"O coração se endurece quando não ama.
Senhor, concedei-nos um coração
que saiba amar."

"O amor compartilha tudo
o que tem e se revela na comunicação.
Não existe fé verdadeira
que não se manifeste no amor.
E o amor não é um amor cristão se não for
generoso e concreto.
Um amor decididamente generoso
é um sinal de fé e um convite para a fé."

“Qual é a lei do Povo de Deus?
É a lei do amor a Deus e ao próximo,
segundo o novo mandamento que o
Senhor nos deixou (Jo 13, 34).
É um amor, entretanto, que
não é um sentimentalismo estéril ou vago,
mas o reconhecimento de Deus
como o único Senhor da vida,
e, ao mesmo tempo, a aceitação do próximo
como meu verdadeiro irmão,
superando divisões, rivalidades,
desentendimentos e egoísmo;
essas duas coisas vão lado a lado.
Ah, quanto ainda temos de caminhar
para realmente viver a nova lei,
a lei do Espírito Santo que age sobre
nós, a lei da caridade, a lei do amor!

Nos jornais ou na televisão nós vemos
tantas guerras entre cristãos.
Como isso acontece?
Em meio ao Povo de Deus há tantas guerras!
Quantas guerras por causa de inveja, de
ciúmes, são travadas em vizinhanças
e em locais de trabalho!
Mesmo dentro da própria família
há tantas guerras!
Nós temos de pedir ao Senhor que nos faça
compreender corretamente essa lei do amor.
Como é belo amar uns aos outros como
verdadeiros irmãos e irmãs.
Como é belo! Vamos fazer algo hoje."

“O amor é a medida da fé.”

"O segredo da vida cristã é o amor.
Somente o amor preenche os espaços vazios
criados pelo mal."

“A verdade, segundo a fé cristã,
é o amor de Deus por nós
em Jesus Cristo.
Portanto, a verdade é um relacionamento.”

"O verdadeiro amor não dá atenção
ao mal que sofre.
Ele se regozija ao fazer o bem."

"O apóstolo fala sobre o amor de Deus
como o mais profundo e invencível motivo
para nossa confiança na esperança cristã [...]
Até mesmo os poderes do mal
que são hostis ao homem
são impotentes em face da profunda
união de amor entre Jesus
e aqueles que O recebem com fé.
Essa realidade do amor fiel que Deus tem
por todos nós nos ajuda a enfrentar
a vida cotidiana, que às vezes
é morosa e cansativa,
com serenidade e força."

"Todos precisam ser tocados pelo
conforto e pela atração
do amor redentor de Deus,
que opera misteriosamente
em cada ser humano,
acima e além de seus defeitos e erros."

"São Paulo diz que
o amor de Cristo nos impulsiona,
mas esse 'impulsiona' também pode ser
traduzido como 'possui'.
E é assim: o amor nos atrai e nos envia.
Ele se apossa de nós e doa-nos
para as outras pessoas."

"O verdadeiro poder é o amor,
o amor que dá poder às outras pessoas,
o amor que dá impulso às iniciativas,
o amor que nenhuma corrente pode conter
porque é capaz de amar até mesmo
na cruz ou no leito de morte.
Ele não tem necessidade da beleza da
juventude, de reconhecimento, de aprovação,
de dinheiro ou de prestígio.
Ele simplesmente flui e não pode ser contido.
Quando caluniado ou derrotado, ele
indubitavelmente alcança
um reconhecimento ainda maior."

“Nós já sabemos aonde
a ganância voraz pelo poder, a imposição
das ideias de alguém como absolutas
e a rejeição daqueles que
pensam de modo diferente
irão nos levar: ao entorpecimento da
consciência e ao abandono.
Somente o mandamento para amar
em toda a sua simplicidade
– um amor constante, modesto,
despretensioso, mas firme na convicção
e no comprometimento com
as outras pessoas –
pode salvar-nos.”

"A questão da verdade
é realmente uma questão de memória,
de uma memória profunda,
pois ela lida com algo anterior
a nós mesmos e pode unir-nos de um modo
que transcende nossa consciência individual,
que é mesquinha e limitada.
É uma questão relacionada à origem de tudo
que existe, em cuja luz podemos vislumbrar
o objetivo e, desse modo, o sentido de nosso
caminho compartilhado."

PARTE CINCO

A jornada da vida

"A vida é uma caminhada.
Quando paramos de nos mover,
as coisas não dão certo."

"Todo o caminho da vida
é um caminho de preparação [...]
para ver, para sentir, para compreender a
beleza do que se encontra à frente, desta
pátria na direção da qual nós caminhamos."

"Caminhar é uma arte porque se estamos
com pressa ficamos cansados
e não chegamos ao objetivo final
de nossa jornada [...]
Se paramos, não seguiremos adiante e
também não alcançaremos o objetivo final.
Caminhar é precisamente a arte de olhar na
direção do horizonte, pensando em aonde
quero ir, mas também enfrentando o cansaço
da caminhada, que às vezes é difícil. [...]
Há dias sombrios, até mesmo dias
em que fracassamos [...],
mas não tenham medo dos fracassos.
Não tenham medo de cair.
O que importa na arte da caminhada não é
não cair, mas não ficar parado.

Levantem-se imediatamente
e sigam em frente.
Isso é o bonito,
isso é trabalhar todos os dias,
isso é caminhar como seres humanos.
Mas também é ruim e cansativo
caminhar sozinho.
Caminhar em comunidade, com os amigos,
com aqueles que nos amam,
ajuda-nos a chegar exatamente naquele
objetivo final, naquele
'lá' aonde nós devemos chegar."

“Eu acho que a mais bela experiência que
podemos ter é pertencer a um povo
que está caminhando,
viajando ao longo da história junto
com nosso Senhor,
que caminha entre nós!
Não estamos sozinhos,
não caminhamos sozinhos.
Nós somos parte do rebanho de Cristo,
que caminha junto.”

"Na caminhada, que muitas vezes é difícil,
não estamos sozinhos.
Nós somos tantos, somos um povo,
e Nossa Senhora nos ajuda a olhar
ao nosso redor de modo fraternal.
Vamos olhar para nós mesmos
de modo mais fraternal!
Maria nos ensina a ter esse olhar
que procura receber bem,
guiar e proteger."

“Há um elo profundo e indissolúvel
entre aqueles que ainda são peregrinos
neste mundo – nós – e aqueles
que cruzaram os umbrais da morte
e entraram na eternidade.
Todas as pessoas batizadas aqui na Terra,
as almas que estão no purgatório
e todos os abençoados que já se encontram
no paraíso
formam uma grande família.”

"Há ainda uma antiga regra dos peregrinos,
que Santo Inácio inclui,
e é por isso que eu a conheço!
Em uma de suas regras, ele diz que
qualquer pessoa que acompanha um
peregrino deve andar no mesmo
ritmo do peregrino, nem indo na frente
nem ficando para trás.
E é isso que eu quero dizer
quando falo de uma
Igreja que acompanha a jornada,
que sabe caminhar como as pessoas
caminham nos dias de hoje.
Essa regra do peregrino nos ajudará
a inspirar coisas."

“[Jesus] caminha com o Povo de Deus,
caminha com os pecadores,
caminha também com o arrogante.”

"Mas não basta olhar, é necessário seguir! [...]
Jesus não veio ao mundo para ser visto [...]
é um caminho, e o propósito de um caminho
é ser trilhado."

“E agora comecemos esta caminhada,
o bispo e o povo,
esta caminhada da Igreja de Roma,
que é líder de todas as igrejas na caridade,
uma caminhada de irmandade no amor,
de confiança mútua.
Que nós rezemos sempre uns pelos outros.
Que nós rezemos por todo o mundo
para que possa haver
uma grande consciência de irmandade.”

"Aqueles que creem, veem,
e veem com uma luz que ilumina
toda a sua caminhada, pois ela vem
do Cristo ressuscitado,
a estrela matutina que jamais se põe [...]
No entanto, na ausência da luz,
tudo fica confuso e
é impossível diferenciar o bem e o mal,
o caminho para nosso destino e
as outras estradas que nos conduzem em
círculos infinitos
que não vão a lugar nenhum."

PARTE SEIS

Família

"A família é onde somos formados
como pessoas.
Toda família é um tijolo
na construção da sociedade."

"Assim como a
Sagrada Família de Nazaré,
toda família é parte da história
de um povo
e não pode existir
sem as gerações que a precederam."

“Eu desejo repetir estas palavras:
‘por favor’, ‘obrigado’, ‘sinto muito’.
São palavras essenciais!
Nós dizemos ‘por favor’
para não sermos imperiosos
na vida em família:
‘Por favor, eu posso fazer isso?’ ou
‘Você ficaria feliz se eu fizesse isso?’.
Nós usamos uma linguagem que
procura a concórdia.
Nós dizemos ‘obrigado’, obrigado por amar!
Mas sejam honestos comigo:
quantas vezes vocês dizem ‘obrigado’
para sua esposa ou para seu marido?
Quantos dias se passam sem pronunciar
esta palavra!

E as últimas: 'sinto muito'.
Todos cometemos erros, e às vezes alguém
fica ofendido no casamento, na família.
Às vezes, pratos são estilhaçados,
palavras ríspidas são ditas, mas,
por favor, ouçam meu conselho:
jamais deixem que o sol se ponha sem que
haja uma reconciliação.
A paz é construída a cada dia na família.
Digam 'Por favor, me perdoe' e,
então, recomecem.
Por favor, obrigado, sinto muito!"

"Viver juntos é uma arte.
É uma arte paciente, bela, fascinante."

"Santidade quer dizer
se doar em sacrifício todos os dias.
E, assim sendo, a vida de casados
é um tremendo caminho
para a santidade!"

"Alguns são convocados para a santidade
através da vida em família
no sacramento do matrimônio.
Atualmente, há quem diga que o casamento
está fora de moda.
Ele está fora de moda?
Em uma cultura de relativismo e de
efemeridade, muitos pregam a importância
de 'aproveitar' o momento.
Muitos dizem que não vale a pena assumir
um compromisso para a vida toda, tomar
uma decisão definitiva,
'para sempre', porque não sabemos
o que o amanhã trará.
Eu lhes peço, pelo contrário,
que sejam revolucionários,
que nadem contra a corrente;

sim, estou lhes pedindo que se rebelem
contra essa cultura que considera
tudo como temporário
e que, em última instância,
acredita que vocês são incapazes
de ter responsabilidade, que acredita que
vocês são incapazes do verdadeiro amor.
Eu confio em vocês e eu rezo por vocês.
Tenham coragem para
'nadar contra a corrente'.
E também tenham a coragem de ser felizes."

“Que nós rezemos pela paz,
e que nós a concretizemos,
começando em nossas próprias casas!”

"No casamento,
nós nos doamos completamente,
sem cálculos ou reservas,
compartilhando tudo, dádivas e sacrifícios,
confiando na Providência Divina [...]
É uma experiência de fé em Deus
e de confiança mútua,
de profunda liberdade e de santidade,
porque a santidade pressupõe
se doar com fidelidade e sacrifício
todos os dias de sua vida!"

"As três características do amor de Cristo
por sua esposa, a Igreja,
encontram-se também no cerne do
casamento cristão:
fidelidade, perseverança e fecundidade.
O próprio Cristo é o modelo e a medida
desses 'três amores de Jesus':
pelo Pai, por Sua Mãe e pela Igreja."

“Uma família iluminada pelo Evangelho
fornece uma escola para uma vida cristã!
Nela, a pessoa aprende
fidelidade, paciência e sacrifício.”

"O desafio para casais cristãos é permanecer juntos, sabendo amar um ao outro sempre e fazê-lo de modo que seu amor cresça."

"Mães dão o testemunho
de ternura, de dedicação e de força moral.
Mães são aquelas que transmitem
o sentido profundo da prática da religião,
das primeiras orações, dos primeiros gestos
de devoção."

"As pessoas que celebram o sacramento dizem
'Prometo ser fiel a você, na alegria e na tristeza,
na saúde e na doença;
prometo amá-lo e honrá-lo todos os dias de
minha vida'.
Nesse momento, o casal não sabe o que vai
acontecer nem quais alegrias e dores
estão à sua espera.
Eles estão começando, como Abraão,
em uma caminhada conjunta.
E isso é o casamento!
Começar a caminhar juntos, de mãos dadas,
colocando-se nas mãos poderosas de Deus.
De mãos dadas sempre,
para o resto de suas vidas.
E não deem atenção a essa cultura das coisas
provisórias, que pode destroçar nossas vidas."

"A vida de uma família
está repleta de momentos belos:
descansos, refeições compartilhadas,
caminhadas pelo parque ou pelo campo,
visitas aos avós ou
a uma pessoa doente [...]
Mas, se o amor não existe, se o
contentamento não existe, nada é divertido.
Jesus sempre nos dá esse amor.
Ele é sua fonte infinita.
No sacramento,
Ele nos dá Sua palavra e o pão da vida,
para que nosso contentamento
seja completo."

“Às vezes me parece que,
em nosso relacionamento com as crianças
e com os jovens, somos como adultos que
abandonam e desprezam esses pequeninos
porque eles revelam nossa amargura e nosso
fracasso em aceitar a velhice.
Nós os abandonamos às vicissitudes das ruas,
com uma atitude de ‘cada um por si’.
Nós os abandonamos aos locais de
entretenimento onde podem
encontrar diversão.
Ou nós os abandonamos ao anonimato frio e
passivo das tecnologias modernas.
Nós deixamos de lado nossa preocupação
com eles e somos capazes de imitá-los porque
não queremos aceitar nosso lugar
como adultos.

Nós não conseguimos entender que o
mandamento do amor
exige que nós nos preocupemos,
que estabeleçamos limites, que ampliemos
horizontes e que demos testemunho
com nossas vidas."

"A vida é com frequência enfadonha,
e muitas vezes de modo trágico.
Nós ouvimos isso recentemente [...]
O trabalho é cansativo e
procurar trabalho é exaustivo.
Encontrar trabalho hoje em dia
requer tanto esforço!
Mas o mais oneroso na vida não é isso:
o que pesa mais do que todas essas coisas
é a falta de amor.
Pesa sobre nós jamais receber um sorriso,
não ser bem-vindo.
Certos silêncios são opressivos,
às vezes até mesmo nas famílias, entre
maridos e esposas, entre pais e filhos,
entre irmãos.
Sem amor, o fardo fica ainda
mais pesado, intolerável. [...]

Jesus quer que nosso contentamento
seja completo!
Ele disse isso aos apóstolos e
hoje Ele diz isso a nós.
A primeira coisa que eu gostaria de
compartilhar com vocês nesta tarde é algo
que Jesus disse:
Vinde a mim, famílias do mundo todo, e
eu vos darei descanso, de modo que vosso
contentamento possa ser completo.
Levem para casa essa palavra de Jesus,
levem-na em seus corações,
compartilhem-na com sua família."

"A família é o maior tesouro de qualquer país. Que todos nós trabalhemos para proteger e reforçar esse pilar da sociedade."

"Protejam suas famílias!
Sejam exemplos vivos de amor, de perdão
e de cuidado.
Sejam santuários de respeito pela vida,
proclamando o fato
de toda vida humana ser sagrada
desde a concepção até a morte natural."

"Os cristãos celebram o sacramento do
casamento porque sabem que precisam dele!
Precisam dele para que fiquem juntos e
cumpram sua missão como pais.
'Na alegria e na tristeza, na saúde
e na doença.'
É isso que os cônjuges dizem um para o outro
durante a celebração do sacramento, e em seu
casamento eles rezam juntos, um com
o outro e com a comunidade.
Por quê? Por que ajuda agir assim?
Não! Eles o fazem porque precisam para sua
longa caminhada.
É uma longa caminhada,
não por um momento fugaz,
mas para uma vida inteira!"

"Uma família perfeita não existe,
tampouco existe um marido perfeito
ou uma esposa perfeita,
e não vamos nem falar
em uma sogra perfeita!
Somos apenas nós, pecadores..."

"[O] 'lar' representa
o mais precioso tesouro humano,
aquele do encontro, dos relacionamentos
entre pessoas diferentes
em idade, cultura e história,
mas que vivem juntas,
e juntas ajudam o outro a crescer.
Por esse motivo, o 'lar' é um lugar crucial,
onde a vida cresce e pode ser cumprida,
porque é um lugar onde cada pessoa aprende
a receber e a dar amor."

“A família que experimenta a alegria da fé
a comunica de modo natural.”

"E eles precisam do auxílio de Jesus
para caminhar um ao lado do outro
na confiança, para aceitar
um ao outro a cada dia
e para perdoar um ao outro diariamente.
E isso é importante!
Saber perdoar um ao outro nas famílias,
porque todos nós cometemos erros,
todos nós!
Às vezes, fazemos coisas que não são boas e
magoam os outros.
É importante ter a coragem de pedir perdão
quando falhamos no seio da família."

"O casamento agora tende a ser visto como
uma forma de mera satisfação emocional
que pode ser construída
de qualquer modo ou modificada
de acordo com os desejos,
mas a contribuição indispensável
do casamento
para a sociedade transcende os sentimentos
e as necessidades momentâneas do casal."

"A imagem de Deus é o casal,
um homem e uma mulher, juntos.
Não somente o homem.
Não somente a mulher.
Não um, mas os dois.
Essa é a imagem de Deus."

"Casais cristãos celebrando
o sacramento do matrimônio mostram-se
dispostos a honrar a bênção
de formar uma comunidade de vida
e de amor, à qual foi confiada a missão de
gerar vida, com a graça de Cristo,
por toda a vida do casal."

"As crianças são uma riqueza
para a humanidade e para a Igreja porque
constantemente nos fazem pensar
na condição necessária para entrar no
Reino de Deus:
não nos considerarmos autossuficientes,
sabendo que precisamos
de ajuda, de amor, de perdão."

"O ventre que nos abriga
é a primeira 'escola' de comunicação,
um local de escuta e contato físico,
onde começamos a nos familiarizar
com o mundo exterior dentro de um
ambiente protegido,
tendo o reconfortante som do pulsar
do coração materno."

“Que cada família
possa redescobrir a oração em família,
que ajuda a trazer a compreensão
e o perdão mútuos.”

"As crianças e os idosos são
os dois polos da vida e também os mais
vulneráveis entre nós,
com frequência os mais esquecidos.
A sociedade que abandona as crianças e
marginaliza os idosos corta as suas raízes e
torna seu futuro sombrio.
Abandonar uma criança e marginalizar uma
pessoa de idade não é somente
um ato de injustiça, mas também demonstra
o fracasso dessa sociedade.
Cuidar das crianças e dos idosos é a única
escolha da civilização."

"A experiência nos ensina
que para conhecer a si mesmo
e se desenvolver harmoniosamente um ser
humano precisa da reciprocidade
do homem e da mulher.
Quando isso falta, podemos
ver as consequências.
Nós somos feitos para ouvir um ao outro e
ajudar um ao outro.
Nós podemos dizer que sem o
enriquecimento mútuo desse relacionamento
– no pensamento e na ação, na afeição,
no trabalho e na fé – os dois não são capazes
de compreender a complexidade do que
significa ser homem ou ser mulher."

“Para que possam resolver os problemas
em seus relacionamentos,
homens e mulheres precisam conversar mais
um com o outro,
ouvir mais um ao outro, conhecer melhor um
ao outro, amar mais um ao outro.
Eles devem tratar um ao outro com respeito
e cooperar de modo amigável.
Nessa base humana, apoiados
pela graça de Deus,
é possível planejar uma união marital
e familiar duradoura.
Esse laço é uma coisa séria,
e é assim para todos, não somente
para os que creem.”

PARTE SETE

Construindo um mundo melhor

"Todas as guerras, todos os conflitos,
todos os problemas não resolvidos
pelos quais nós brigamos
se devem à falta de diálogo."

"É minha esperança que a cooperação
inter-religiosa e ecumênica
demonstre que homens e mulheres
não têm de abandonar sua identidade,
quer étnica ou religiosa,
com o intuito de viver em harmonia
com seus irmãos e irmãs.
Quantos modos há para que seguidores
de diferentes religiões realizem essa tarefa!
Quantas são as carências que devem ser
supridas com o bálsamo medicinal da
solidariedade fraternal!"

"Deus é paz:
que nós Lhe peçamos para nos ajudar
a ser promotores da paz
a cada dia, em nossas vidas,
em nossas famílias,
em nossas cidades e nações,
no mundo inteiro."

"Quando líderes em vários campos
me pedem conselhos, minha resposta é
sempre a mesma: diálogo, diálogo, diálogo.
O único modo para que as pessoas, as
famílias e as sociedades cresçam, o único
modo para que a vida das pessoas progrida,
é a cultura do encontro, uma cultura em que
todos têm algo de bom para dar e podem
receber algo de bom em troca.
Outras pessoas sempre têm algo para nos dar
se soubermos como nos aproximar delas
com um espírito de receptibilidade
e sem preconceito [...]
Atualmente, ou assumimos o risco do
diálogo, o risco da cultura do encontro,
ou todos nós fracassaremos.
Esse é o caminho que irá frutificar."

"É importante não deixar
que muito tempo passe depois de uma
tempestade, depois de um problema.
É importante construir
o diálogo o mais rápido possível,
porque o tempo permite que as paredes do
ressentimento fiquem mais altas
e que as ervas daninhas cresçam mais
e prejudiquem o milho – e, quando nossas
paredes ficam mais altas,
a reconciliação se torna tão difícil!"

"Se admitirmos que
todos nós pertencemos à natureza humana,
ideias preconcebidas e mentiras
podem ser superadas e pode surgir
uma nova perspectiva no entendimento
das outras pessoas."

“Não é possível construir pontes
entre pessoas se esquecendo de Deus. Porém,
o inverso também é verdadeiro:
não é possível estabelecer elos reais com
Deus enquanto ignorarmos as outras pessoas.
Desse modo, é importante intensificar o
diálogo entre as várias religiões,
e eu estou pensando particularmente
no diálogo com o islã.
Na missa que marcou o início de meu
pontificado, eu apreciei imensamente a
presença de tantos líderes civis
e religiosos do mundo islâmico.
E também é importante
intensificar o contato

com aqueles que não creem,
de modo que as diferenças
que nos dividem e magoam
jamais possam prevalecer,
mas sim o desejo de construir
elos verdadeiros de amizade
entre todos os povos,
apesar de sua diversidade."

"A Igreja Católica tem consciência
da importância da promoção da amizade
e do respeito entre homens e mulheres
de diferentes tradições religiosas.
Eu gostaria de repetir isto:
*a promoção da amizade e do respeito entre
homens e mulheres de diferentes tradições
religiosas.* [...]
[A Igreja] também tem consciência da
responsabilidade que todos nós temos em
relação a este nosso mundo, a toda a criação,
que devemos amar e proteger.
E temos condições de fazer muito pelo bem
dos mais pobres, dos mais fracos e dos que
sofrem, para promover a justiça
e a reconciliação
e para construir a paz."

"Um diálogo que busque a paz social
e a justiça é, por si só, além de todas
as meras considerações práticas,
um compromisso ético que acarreta uma
nova situação social."

"Manter um diálogo
significa estar convencido
de que os outros têm algo de bom a dizer,
significa abrir espaço para
seu ponto de vista, sua opinião,
suas sugestões, sem, obviamente,
cair no relativismo."

"Isto é importante: conhecer as pessoas,
ouvir, expandir o círculo de ideias.
O mundo está cheio de estradas que se
aproximam e se afastam,
mas o importante é que elas
conduzem na direção do Bem."

"Cada um de nós tem uma
visão do bem e do mal.
Nós temos de encorajar as pessoas para que
se encaminhem na direção
do que consideram que é o bem [...]
Todas as pessoas têm suas próprias ideias
sobre o bem e o mal e devem optar
por seguir o bem e combater o mal
assim como elas o consideram.
Isso seria suficiente para fazer
do mundo um lugar melhor."

"A verdadeira receptibilidade
envolve a pessoa permanecer firme em suas
mais profundas convicções, nítida e contente
em sua própria identidade, e, ao mesmo
tempo, ser 'receptiva para entender
os que estão do lado oposto' e 'saber que o
diálogo pode enriquecer cada lado'.
O que não ajuda é uma receptibilidade
diplomática, que diz 'sim' para tudo
com o intuito de evitar problemas,
pois isso é um modo de enganar os outros
e de negar-lhes o bem que nos foi dado
para que o compartilhemos
generosamente com os outros.
A evangelização e o diálogo
inter-religioso, longe de serem opostos,
apoiam e nutrem mutuamente um ao outro."

"As pessoas feridas por
divisões históricas acham difícil
aceitar nosso convite
ao perdão e à reconciliação,
já que pensam que estamos
ignorando a sua dor
ou estamos pedindo que abram mão
de suas lembranças e de seus ideais.
Porém, se virem o testemunho de
comunidades autenticamente
fraternais e reconciliadas,
elas o considerarão
luminoso e atraente."

"A guerra é uma loucura.
Enquanto Deus leva adiante o trabalho
da criação, e nós, homens e mulheres, somos
convocados para participar de Seu trabalho,
a guerra destrói.
Ela também arruína o mais belo trabalho
das mãos d'Ele: os seres humanos.
A guerra arruína tudo, até mesmo os elos
entre os irmãos.
A guerra é irracional.
O único plano dela é ocasionar a destruição.
Ela procura crescer
por meio da destruição."

"É chegada a hora
de os líderes religiosos cooperarem
de modo mais eficaz no trabalho
de curar feridas, resolver conflitos
e buscar a paz.
A paz é o sinal garantido de
um compromisso com a causa de Deus.
Líderes religiosos são convocados
a ser homens e mulheres da paz.
Eles são capazes de alimentar a cultura
do encontro e da paz
quando outras opções
fracassam ou se enfraquecem.
Nós temos de ser promotores da paz,
e nossas comunidades devem ser escolas
de respeito e de diálogo

com as pessoas de outros grupos
étnicos ou religiosos,
locais onde aprendemos a superar tensões,
a alimentar relacionamentos justos e pacíficos
entre os povos e os grupos sociais e a
construir um futuro melhor para
as gerações vindouras."

PARTE OITO

Ouvindo a Deus

"'Deus é amor.'
O amor d'Ele não é do tipo
sentimental ou emocional,
mas sim o amor do Pai
que é a origem de toda a vida,
o amor do Filho que morre na cruz
e é elevado, o amor do Espírito que renova
os seres humanos e o mundo.
Pensar que Deus é amor nos faz tanto bem
porque isso nos ensina a amar,
a nos doar aos outros,
como Jesus se doou a nós
e caminha conosco.
Jesus caminha ao nosso lado
pela estrada da vida."

“Isto é ouvir a palavra de Deus:
ouvir com seus ouvidos
e escutar com seu coração.”

“Qual é a imagem que temos de Deus?
Talvez O vejamos como um juiz severo,
como alguém que cerceia nossa liberdade
e o modo como vivemos.
Porém, as escrituras nos dizem que
Deus é o Vivente,
aquele que dá a vida e indica
o caminho para sua plenitude.”

"Ninguém é mais paciente
que Deus, o Pai.
Ninguém entende nem sabe esperar
tanto quanto Ele."

“O Senhor é muito generoso.
O Senhor abre todas as portas.
O Senhor também compreende
os que Lhe dizem:
‘Não, Senhor, não quero seguir convosco.’
Ele compreende e está esperando
por essas pessoas, porque
Ele é misericordioso.
Porém, o Senhor não gosta
daqueles que dizem ‘Sim’ e fazem o oposto,
que fingem Lhe agradecer
por todas as coisas boas,
que têm boas maneiras,
mas seguem seu próprio caminho,
e não o caminho do Senhor.”

"O Senhor não nos olha
a todos juntos, em conjunto.
Ele olha no rosto,
nos olhos, de cada um de nós.
O amor d'Ele não é abstrato, é concreto.
O Senhor olha para mim de modo pessoal.
Permitir que sejamos encontrados por Deus
significa apenas isto: permitir
que sejamos amados por Deus!"

"Não existe ocupação ou posição social,
pecado ou crime de qualquer tipo,
que possa obliterar
da memória e do coração de Deus
qualquer um de Seus filhos."

"Quão bom é para nós quando o Senhor desestabiliza nossas vidas sem graça e superficiais."

"Sempre que encontramos
outra pessoa em amor,
aprendemos algo novo a
respeito de Deus."

"Deus se manifesta
na revelação histórica, na história.
O tempo inicia os processos
e o espaço os cristaliza.
Deus está na história, nos processos."

"Deus nos criou de modo que pudéssemos
viver em uma profunda
relação de amizade com Ele,
e mesmo quando o pecado interrompeu
esse relacionamento com Ele,
com outras pessoas e com a criação,
Deus não nos abandonou.
Toda a história da salvação
é a história de Deus,
que procura os seres humanos,
oferece-lhes Seu amor e acolhe-os."

"O amor de Deus não é genérico.
Deus olha com amor para cada homem
e para cada mulher,
chamando-os pelo nome."

"O tempo é o mensageiro de Deus.
Deus nos salva no tempo,
não em um momento.
Às vezes, Ele faz milagres, mas, na vida
cotidiana, Ele nos salva através do tempo.
Às vezes, nós pensamos que, se entrar em
nossa vida, o Senhor irá nos transformar.
Sim, nós nos transformamos,
e isso se chama conversão.
Porém, Ele não age
'como uma fada com uma varinha de condão'.
Não. Ele dá a graça e diz,
assim como disse
para todos a quem curou:
'Ide, caminhai'."

"O Senhor nos ama com ternura.
O Senhor conhece a doce ciência do carinho,
a ternura de Deus.
Ele não nos ama com palavras.
Ele se aproxima de nós e, estando perto
de nós, dá-nos Seu amor
com a maior ternura possível.
Mais difícil do que amar a Deus
é permitir que sejamos amados por Deus."

“Eu acredito em Deus –
não em um Deus católico;
não existe um Deus católico.
Existe um Deus,
e eu acredito em Jesus Cristo,
Sua encarnação.
Jesus é meu mestre e meu pastor,
mas Deus, o Pai,
Abba, é a luz e o Criador.
Isso é meu Ser.”

"O Senhor está batendo
à porta de nosso coração.
Nós colocamos um aviso na porta
dizendo 'Não perturbe'?"

"A consciência é o lugar íntimo
para ouvir a verdade, para ouvir a bondade,
para ouvir a Deus.
É o lugar íntimo do meu
relacionamento com Ele,
Aquele que fala ao meu coração
e me ajuda a discernir,
a entender o caminho que devo seguir
e, uma vez tomada a decisão,
a seguir adiante, a permanecer fiel."

"Vocês pensam nos talentos que
Deus lhes concedeu?
Vocês pensam em como podem
colocá-los a serviço dos outros?
Não enterrem seus talentos!
Apostem em grandes ideais,
nos ideais que expandem o coração,
nos ideais do serviço que faz
com que seus talentos frutifiquem.
A vida não nos é dada para que a guardemos
mesquinhamente para nós mesmos,
mas para que, sucessivamente,
nós possamos dá-la.
Meus caros jovens,
tenham um espírito profundo!
Não tenham medo de sonhar
com coisas grandes!"

“Com Deus, nada é perdido, mas, sem Ele, tudo está perdido.”

"Eu também gostaria de dizer
para qualquer pessoa que se
sente longe de Deus e da Igreja,
para qualquer pessoa que é tímida
ou indiferente, para aqueles que pensam
que não podem mais mudar:
o Senhor os convoca, também, para que
sejam parte de Seu povo,
e Ele faz isso com muito respeito e amor!
Ele nos convida para que sejamos
parte do povo de Deus!"

"Por esta razão, para aqueles que,
também hoje, 'querem ver Jesus',
para aqueles que estão procurando
a face de Deus,
para aqueles que receberam a catequese
quando eram pequenos
e não a aprofundaram,
e talvez tenham perdido a sua fé, para tantas
pessoas que ainda não encontraram
Jesus pessoalmente [...]
para todas essas pessoas nós podemos
oferecer três coisas:
o Evangelho, o crucifixo
e o testemunho de nossa fé,
modesta, porém sincera.
O Evangelho: nele nós encontramos Jesus,
O ouvimos, O conhecemos.

O crucifixo: o sinal do amor de Jesus,
que se entregou por nós.
E, por isso, sinal de uma fé que se expressa
em gestos simples de caridade fraterna.
Mas, principalmente, a coerência da vida,
entre o que nós dizemos e o que nós fazemos.
Coerência entre nossa fé e nossa vida, entre
nossas palavras e nossas ações.
Evangelho, crucifixo, testemunho."

"O retorno ao sagrado
e a busca pela espiritualidade
que marcam nosso tempo compõem um
fenômeno ambíguo.
Atualmente, nosso desafio não é tanto
o ateísmo quanto a necessidade
de responder adequadamente
à sede de tantas pessoas por Deus,
para que elas não tentem satisfazê-la
com soluções alienantes ou com um Jesus
impalpável que não exige nada de nós
em relação às outras pessoas.
A não ser que essas pessoas encontrem
na Igreja uma espiritualidade que possa
oferecer a cura e a libertação,
e que possa preenchê-las
com vida e com paz,

ao mesmo tempo convocando-as
à comunhão fraternal e à
fecundidade missionária,
acabarão sendo ludibriadas
por soluções que não
tornam a vida
verdadeiramente humana
nem dão glória a Deus."

“Permitam-se ser surpreendidos por Deus.
Não tenham medo de surpresas.
Elas abalam o chão sob nossos pés
e deixam-nos inseguros,
mas nos impulsionam para a frente,
na direção certa.”

"Façam a si mesmos esta pergunta:
Com quanta frequência Jesus está lá dentro e bate à porta para sair, para ir lá para fora?
E nós não O deixamos sair por causa de nossa própria necessidade de segurança, porque com tanta frequência ficamos aprisionados em estruturas efêmeras que servem somente para nos tornar escravos, e não filhos livres de Deus."

"Permitam que o Jesus ressuscitado
entre em suas vidas,
recebam-No como um amigo, com confiança.
Ele é vida!
Se até então vocês O mantiveram a distância,
deem um passo adiante.
Ele irá recebê-los de braços abertos.
Se vocês foram indiferentes, arrisquem-se
e não ficarão decepcionados.
Se segui-Lo parece difícil, não tenham medo.
Confiem Nele, tenham a certeza de que Ele
está perto de vocês, está com vocês e irá lhes
proporcionar a paz que estão procurando
e a força para viver como
Ele gostaria que vocês vivessem."

“Vocês permitem que o olhar do Senhor
recaia sobre vocês?
Mas como se faz isso?
Olhando para o tabernáculo e permitindo
que sejam olhados [...] é simples!
‘É um tanto cansativo... Eu acabo dormindo...’
Durmam, então, durmam!
Ele continua olhando.
Tenham a certeza de que Ele
está olhando vocês.”

"E, por essa razão, Ele [o Pai]
precisa de Seu filho, Ele está à espera dele,
Ele o ama, Ele o procura, Ele o perdoa,
Ele o quer perto de Si,
tão perto quanto a galinha
deseja que seus pintinhos fiquem."

“Nossa vida não nos é dada
como um libreto de ópera,
no qual está escrito tudo o que vai acontecer;
ela significa
prosseguir, andar, fazer, procurar, ver [...]
Nós temos de entrar na aventura
da busca por Deus;
nós temos de deixar Deus
nos procurar e nos encontrar.”

"O amor de Cristo e Sua amizade
não são uma ilusão
– Jesus na cruz mostra quão real eles são –
e tampouco um privilégio para poucos.
Vocês descobrirão essa amizade e sentirão
sua plena fecundidade e beleza
se a procurarem com sinceridade, se vocês
se abrirem a Ele com confiança,
se cultivarem a vida espiritual com
perseverança, recebendo os sacramentos,
meditando sobre as sagradas escrituras,
rezando assiduamente
e mantendo um envolvimento profundo
na comunidade cristã."

“O que é novo sempre nos deixa
um pouco temerosos, porque nos sentimos
mais seguros se temos tudo sob controle,
se somos aqueles que construímos,
programamos e planejamos nossas vidas
de acordo com nossas próprias ideias,
nosso próprio conforto,
nossas próprias preferências [...]
A novidade que Deus traz para nossas vidas
é algo que realmente proporciona a satisfação,
o verdadeiro contentamento,
a verdadeira serenidade,
porque Deus nos ama
e deseja somente nosso bem.”

"O que significa obedecer a Deus?
Isso quer dizer nos comportarmos
como escravos?
Não, qualquer pessoa que obedeça
a Deus é livre; ela não é uma escrava!
E como pode ser assim?
Parece uma contradição [...]
A palavra 'obedecer' vem do latim
e significa escutar, ouvir os outros.
Obedecer a Deus é ouvir a Deus,
ter um coração aberto para seguir
o caminho que Ele indica.
Obedecer a Deus é ouvir a Deus,
e isso nos liberta."

"Deus é a luz que ilumina a escuridão,
mesmo que não a desfaça,
e há uma centelha da luz divina dentro
de cada um de nós.
Na carta que escrevi para vocês,
eu disse que nossa espécie chegará ao fim,
mas a luz de Deus não chegará ao fim,
e nesse momento ela invadirá
todas as almas
e estará presente em todos."

PARTE NOVE

Humildade e idolatria

“A humildade salva o homem.
O orgulho o faz se perder.”

“Se nós nos apegamos demais às riquezas, não somos livres. Somos escravos.”

"Ninguém pode crescer
se não aceitar que é pequeno."

"A salvação não pode ser
comprada ou vendida:
ela é uma dádiva.
Ela nos é dada e não custa nada.
Nós não podemos ser salvos
por nós mesmos [...]
Porém, para receber essa salvação,
nós precisamos de um coração humilde, de
um coração meigo, de um coração obediente.
Assim como o coração de Maria.
E o modelo para essa estrada rumo
à salvação é o próprio Deus, Seu Filho,
que não considerou ser igual a Deus uma
vantagem que não pudesse ser abandonada."

“A humildade de Cristo era real,
a decisão de ser pequeno, de estar com outras
pessoas pequenas, com os excluídos, estar
entre nós, todos nós pecadores.
Mas tenham cuidado:
isso não é uma ideologia!
Esse é um modo de ser e de viver
que começa com o amor que surge
do coração de Deus.”

"A paz requer a força da mansidão,
da não violência, da verdade
e do amor."

"Ter as respostas para todas as perguntas
é a prova de que Deus
não está com uma pessoa.
Isso significa que essa pessoa
é um falso profeta
usando a religião para proveito próprio.
Os grandes líderes do povo de Deus,
como Moisés, sempre deixaram
espaço para a dúvida.
Vocês devem deixar espaço para o Senhor,
não para nossas certezas.
Nós temos de ser humildes."

"Que nós aprendamos a dizer obrigado a Deus e às outras pessoas. Nós ensinamos as crianças a fazerem isso e esquecemo-nos de fazê-lo!"

“Ninguém pode governar sem amar
o povo e sem humildade!
E todo homem, toda mulher, que assume
o serviço do governo tem
de se fazer duas perguntas:
‘Eu amo o meu povo para que
possa servi-lo melhor?
Eu sou humilde e ouço todas as pessoas, com
opiniões diferentes, de modo a escolher
o melhor caminho?’
Se não se fizerem essas perguntas, seu
governo não será bom.
O homem ou a mulher que governa,
que ama o seu povo,
é um homem ou uma mulher humilde.”

"Um pequeno passo em meio
a grandes limitações pode ser mais agradável
para Deus que uma vida que externamente
parece estar em ordem,
mas que passa os seus dias sem enfrentar
grandes dificuldades."

"Humildade, mansidão, magnanimidade
e amor para preservar a unidade!
São esses os verdadeiros caminhos da Igreja.
Que nós escutemos isso uma vez mais.
Humildade contra a vaidade,
contra a arrogância.
Humildade, mansidão, magnanimidade
e amor preservam a unidade."

"Deus age com humildade,
em silêncio, nas pequenas coisas.
Isso começa com a criação, na qual o Senhor
não usa 'uma varinha de condão',
mas cria o homem 'com o barro'.
É um estilo que percorre toda
a história da salvação."

"O único modo de escapar da corrupção,
o único modo de vencer a tentação
do pecado da corrupção, é o serviço.
A corrupção é o orgulho, é a arrogância,
e o serviço torna as pessoas humildes.
É uma 'caridade modesta ajudar ao próximo'."

"Nós precisamos garantir nossa pequenez
para termos um
diálogo pessoal com Deus.
Deus sempre fala conosco em
um nível pessoal, usando nossos nomes.
Nunca é um diálogo entre
o poderoso e as massas."

“A idolatria, então, é sempre o politeísmo,
um passar volúvel de um senhor a outro.
A idolatria não proporciona uma jornada,
mas, pelo contrário, uma abundância
de caminhos que não conduzem
a lugar nenhum
e formam um vasto labirinto.”

"É tão triste ver um cristão mundano
que tem certeza
– de acordo com seu ponto de vista –
da segurança que a fé proporciona e da
segurança que o mundo oferece.
Vocês não podem ficar dos dois lados.
A Igreja – cada pessoa – tem de se despojar
do mundanismo que conduz à vaidade.
Isso é idolatria."

"Mesmo atualmente há tantos ídolos,
e há tantos idólatras, tantos que
pensam que são sábios.
Mas, mesmo entre nós, entre cristãos [...]
eles pensam que são sábios,
que sabem tudo [...]
Eles se transformaram em tolos
e trocam a glória do Deus incorruptível
por uma imagem:
eu, minhas ideias, meus confortos."

"Mas, já que nós todos temos de idolatrar
– porque temos a marca de
Deus dentro de nós – ,
quando não idolatramos Deus,
idolatramos criaturas.
E essa é a passagem da fé para a idolatria."

"Deus não quer que haja
um ídolo no centro do mundo,
pelo contrário, quer que os homens e as
mulheres deem impulso
ao mundo por meio de seu trabalho."

"Porém, antes de qualquer outra coisa, nós
precisamos manter viva a sede
pelo absoluto e combater o domínio
de uma visão unidimensional das pessoas,
uma visão que reduz os seres humanos àquilo
que produzem e àquilo que consomem.
Essa é uma das mais traiçoeiras
tentações de nossos tempos."

“Quando uma sociedade não tem Deus, até mesmo sua prosperidade é seguida por uma terrível pobreza espiritual.”

"Os homens e as mulheres são sacrificados
aos ídolos do lucro e do consumo.
É a 'cultura do desperdício'.
Se um computador quebra, é uma tragédia,
mas a pobreza, as necessidades e
os dramas de tantas pessoas acabam
sendo considerados normais. [...]
Quando o mercado de ações cai dez pontos
em algumas cidades, é uma tragédia.
Alguém que morre não é notícia, mas a queda
do mercado de ações é uma tragédia!
Desse modo, as pessoas são colocadas de lado
como se fossem lixo."

"Se vocês acumularem bens materiais,
eles irão lhes roubar a alma."

"Nós estamos vivendo em uma
sociedade dominada pela informação,
que nos bombardeia indiscriminadamente
com dados – todos tratados como se tivessem
a mesma importância –, e que conduz a
uma incrível superficialidade na área do
discernimento moral.
Como resposta, nós temos de proporcionar
uma educação que ensine
o pensamento crítico
e encoraje o desenvolvimento
de valores morais maduros."

"Há uma tendência a colocarmos
nós mesmos e nossas ambições
no centro de nossas vidas.
Isso é muito humano,
mas não é cristão."

"Em outros setores de nossa sociedade,
percebemos a crescente atração
por várias formas de
'espiritualidade do bem-estar'
afastadas de qualquer vida
em comunidade, por uma
'teologia da prosperidade'
afastada da responsabilidade por nossos
irmãos e irmãs
ou por experiências despersonalizadas que
não são nada além de uma
forma de egocentrismo."

“Quando perde a orientação fundamental
que unifica sua existência,
o homem se dispersa na multiplicidade
de seus desejos.
Ao se recusar a esperar o tempo da promessa,
sua história de vida se desintegra em uma
miríade de instantes desconectados.”

“Nós deveríamos reconhecer como,
em uma cultura na qual cada pessoa
quer ser a portadora de sua
própria verdade subjetiva, torna-se difícil
que os cidadãos desejem integrar
um plano comum
que transcende o ganho individual
e as ambições pessoais.”

"Existe, na verdade,
um tipo de mundanismo espiritual
que se esconde por trás
da aparência de piedade
e até mesmo de amor pela Igreja
e que conduz à busca não pela
glória de Deus, mas, pelo contrário,
pelo bem-estar pessoal."

"Quando não adoramos Deus,
adoramos outra coisa.
O dinheiro e o poder são falsos ídolos
que com frequência tomam
o lugar de Deus."

PARTE DEZ

Perdão e graça

“Um pouquinho de misericórdia
deixa o mundo menos frio e mais justo.”

“O Senhor nunca se cansa de perdoar.
Somos nós que nos cansamos
de pedir perdão.”

"'Bem, padre, eu sou um pecador, cometi pecados tremendos.
Como posso sentir-me parte da Igreja?'
Caro irmão, cara irmã, isso é exatamente o que o Senhor deseja, que vocês Lhe digam: 'Senhor, cá estou com meus pecados.' Alguém entre vocês está livre de pecados?
Qualquer um? Não, nenhum de nós.
Todos nós trazemos nossos pecados conosco.
Mas o Senhor quer nos ouvir dizer a Ele: 'Perdoai-me, ajudai-me a caminhar, modificai meu coração!'
E o Senhor pode modificar seu coração.
Na Igreja, o Deus que encontramos não é um juiz impiedoso, mas é como o pai na parábola do Evangelho.

Vocês podem ser como o filho que saiu de
casa e mergulhou na devassidão,
afastando-se demais do Evangelho.
Quando tiverem forças para dizer
'Eu quero voltar para casa',
vocês encontrarão as portas abertas.
Deus sempre está à espera de vocês.
Deus abraçará vocês,
beijará vocês e celebrará."

"A misericórdia é o verdadeiro poder capaz de salvar a humanidade e o mundo do pecado e do mal."

"O Senhor sempre perdoa tudo! Tudo!
Mas, se deseja ser perdoado,
você tem de começar a trilhar
o caminho do fazer o bem.
Essa é a dádiva!"

“Confessar nossos pecados pode ser difícil,
mas isso nos traz a paz.
Nós somos pecadores e precisamos
do perdão de Deus.”

"Na vida, todos nós
cometemos muitos erros.
Que reconheçamos nossos erros
e peçamos perdão."

"Nas pessoas que compõem a Igreja,
pastores e fiéis, há defeitos,
imperfeições e pecados.
O papa também os tem – e muitos deles –,
mas o belo é que, quando percebemos que
somos pecadores, nós nos deparamos com
a misericórdia de Deus,
que sempre perdoa.
Jamais se esqueçam de que Deus sempre
perdoa e acolhe-nos em
Seu amor de perdão e de misericórdia."

"Sempre que alguém tem a coragem
de pedir perdão,
o Senhor escuta seu pedido."

"Jesus compreende
nossas fraquezas e nossos pecados
e nos perdoa
se permitirmos ser perdoados."

"Caros irmãos e irmãs,
que nós não nos fechemos à nova que Deus
deseja trazer a nossas vidas.
Com frequência nós nos sentimos exaustos,
desencorajados e tristes?
E sentimos sobre nós
o peso de nossos pecados?
Achamos que não teremos condições de
enfrentar uma situação?
Que nós não fechemos nossos corações, que
nós não percamos a confiança,
que nós jamais desistamos.
Não há situação que Deus não possa alterar
e não há pecado que Ele não possa perdoar
desde que nós
nos mantenhamos abertos a Ele."

"Se vocês tiverem um peso em sua
consciência, se estiverem com vergonha
das muitas coisas que fizeram,
parem por um momento
e não entrem em pânico.
Pensem no fato de que Alguém
está à espera de vocês simplesmente
porque Ele jamais deixou
de lembrar-se de vocês.
E esse Alguém é seu Pai,
é o Deus que espera por vocês!"

"A conversão é a graça, é uma 'visita de Deus'."

“Se nós – todos nós –
aceitamos a graça de Jesus Cristo,
Ele modifica nosso coração e,
de pecadores, transforma-nos em santos.
Para sermos santos,
não precisamos afastar nossos olhos
e olhar para outro lugar ou aceitar
a graça como se fosse um rosto
em um cartão sagrado!
Não, não, isso não é necessário.
Para sermos santos, é necessária somente
uma coisa: aceitar a graça que
o Pai nos dá em Jesus Cristo.
E essa graça modifica nosso coração.

Nós continuamos a ser pecadores,
porque somos fracos,
mas temos essa graça que
nos faz sentir que o Senhor é bom,
que o Senhor é misericordioso, que
o Senhor espera por nós, que
o Senhor nos perdoa, essa imensa graça
que modifica nosso coração."

"A graça de Deus é sempre maior que a
oração que a buscou.
O Senhor sempre dá mais
do que Lhe foi pedido.
Peçam que Ele se lembre de vocês,
e Ele os levará para o Seu Reino!"

"A graça não é parte da consciência,
e sim a luz em nossas almas.
Não é conhecimento nem razão."

"Que nós peçamos a graça de viver
na verdade sem ocultar nada ao Senhor
e sem ocultar nada a nós mesmos."

"A graça não é dada para enfeitar a vida,
mas, pelo contrário, para deixar-nos
fortes na vida,
dando-nos coragem para seguir adiante!"

"Quando o Reino de Deus se enfraquece, um dos sinais é que se perde o sentido do pecado. [Porém] a salvação não virá de nossa esperteza, de nossa astúcia, de nossa inteligência para cuidar de nossos negócios. A salvação virá por meio da graça de Deus e do treinamento diário que recebemos com a cooperação com essa graça."

"Que nós peçamos ao Espírito Santo
a graça de admitir que somos pecadores.
Pecadores, sim, mas não corruptos."

"Quando rezamos com coragem,
Deus nos concede a graça,
mas Ele também Se doa na graça:
o Espírito Santo, ou seja, Ele próprio!"

"Esse é o caminho do Senhor:
venerar Deus,
amar Deus acima de todas as coisas
e amar seu próximo.
É tão simples, mas tão difícil.
Isso só pode ser feito com a graça."

PARTE ONZE

Dignidade humana, sofrimento e solidariedade

"Viver como verdadeiros filhos de Deus
significa amar o nosso próximo
e ficar perto daqueles que estão sozinhos
e passam por dificuldades."

"Há tanta indiferença
em relação ao sofrimento.
Que nós possamos vencer a indiferença
com atos concretos de caridade."

"A com-paixão de Deus,
Seu sofrer-conosco, dá significado
e valor
para nossas lutas e nosso sofrimento."[1]

[1] Ao explicar as raízes latinas da palavra "compaixão".

"Em muitos lugares,
falando de modo geral,
a cultura da exclusão e da rejeição
está se disseminando devido ao humanismo
econômico que tem sido imposto ao mundo.
Não há lugar para os idosos
e para as crianças indesejadas
e não há tempo para
a pessoa indesejada na rua.
Às vezes, parece que, para algumas pessoas,
os relacionamentos humanos são regulados
por dois 'dogmas' modernos:
eficiência e pragmatismo [...]
[Tenham] a coragem de remar
contra a maré dessa cultura.
Sejam corajosos!"

"Tentar resolver problemas eliminando uma vida humana não é 'ser progressista.'"

“Esta é a luta de cada pessoa:
ser livre ou ser escravo.”

“Mesmo que a vida de uma pessoa
tenha sido um desastre,
mesmo que ela tenha sido destruída por
vícios, drogas ou qualquer outra coisa,
Deus ainda está na vida dessa pessoa.
Vocês podem e precisam tentar procurar
Deus em cada vida humana.
Embora a vida de uma pessoa
possa ser uma terra repleta de espinhos
e de ervas daninhas, sempre há um espaço
onde a boa semente poderá crescer.
Vocês têm de confiar em Deus.”

"As situações podem mudar
e as pessoas podem mudar.
Sejam os primeiros a tentar promover o bem.
Não cresçam acostumados com o mal,
mas derrotem-no com o bem."

"Nossa fé em Cristo,
que se fez pobre e estava sempre perto dos pobres e dos marginalizados,
é a base de nossa preocupação com o desenvolvimento integral dos membros mais negligenciados da sociedade."

"Ninguém pode dizer que
não pode estar perto dos pobres
porque seu estilo de vida exige dar maior
atenção para outras áreas.
Essa é uma desculpa que se ouve com
frequência nos círculos acadêmicos,
de negócios, das profissões liberais
e até mesmo nos círculos eclesiásticos.
Se por um lado é verdade que a vocação
essencial e a missão do laico fiel
são lutar para que as realidades terrenas
e todas as atividades humanas possam ser
transformadas pelo Evangelho,
nenhum de nós pode pensar que
é isento da preocupação
com os pobres e com a justiça social."

"A crise atual não é somente
econômica e financeira,
mas está enraizada em uma crise
ética e antropológica.
A preocupação com os ídolos do poder,
do lucro e do dinheiro,
em vez de com o valor da pessoa humana,
transformou-se em uma norma básica
de funcionamento e um
critério crucial de organização.
Nós temos esquecido, e ainda esquecemos,
que acima dos negócios e da lógica
e dos parâmetros do mercado
se encontra o ser humano
e que algo é devido aos homens e às mulheres
em sua condição de seres humanos
por sua profunda dignidade:

oferecer-lhes a possibilidade
de ter uma vida digna e de participar
ativamente no bem comum.
Bento XVI lembrou-nos que toda atividade
humana, precisamente por ser humana,
incluindo a atividade econômica,
precisa ser estruturada
e dirigida com ética
(Carta encíclica *Caritas in Veritate*, nº 36).
Nós temos de retornar à
centralidade do ser humano,
a uma visão mais ética das atividades e dos
relacionamentos humanos,
sem o temor de perder alguma coisa."

"Como eu desejo que todas as pessoas
tenham um serviço digno!
Isso é essencial para a dignidade humana."

"O sofrimento é um chamado
para a conversão.
Ele faz com que nos lembremos de nossa
fragilidade e vulnerabilidade."

“Nós sabemos como,
em tempos recentes, a violência
tem levado a uma tentativa de eliminar Deus
e o divino do horizonte da humanidade,
e nós sentimos a importância de
dar testemunho em nossas sociedades da
acessibilidade original
ao transcendental que está inscrita
no coração humano.
Nesse aspecto, nós também
nos sentimos perto de todos
os homens e mulheres
que, embora não aleguem pertencer a
qualquer tradição religiosa,
ainda sentem que estão
à procura
da verdade, da bondade e da beleza

– a verdade, a bondade
e a beleza de Deus –
e que são nossos aliados poderosos
no esforço para defender
a dignidade humana,
para construir uma coexistência
pacífica entre os povos
e para proteger a criação com cuidado."

“Entre as criaturas vulneráveis
de quem a Igreja deseja cuidar com amor e
com interesse especiais se encontram
as crianças ainda por nascer,
que são os mais indefesos e inocentes
entre nós.
Atualmente, esforços estão sendo feitos para
negar-lhes sua dignidade humana
e para fazer com elas
o que se bem entender,
tirando-lhes a vida e aprovando leis
que impedem qualquer pessoa
de posicionar-se contra isso.
Com frequência, como um meio de
ridicularizar os esforços da Igreja
para defender a vida dessas crianças,
tentativas são feitas para apresentar

sua posição como ideológica,
obscurantista e conservadora.
No entanto, essa defesa da vida ainda por
nascer está intimamente ligada à defesa
de todos os direitos humanos.
Ela pressupõe a convicção de que um ser
humano é sempre sagrado e inviolável,
em qualquer situação e em qualquer estágio
de desenvolvimento.
Os seres humanos são um fim por si só
e jamais um meio de resolver
outros problemas."

"A dignidade da pessoa humana
e o bem comum situam-se em nível
de importância mais alto que o conforto
daqueles que se recusam a
renunciar aos seus privilégios.
Quando esses valores são ameaçados,
uma voz profética precisa ser erguida.
Tampouco é a paz 'simplesmente a ausência
de guerra, baseada em um equilíbrio de
poder precário; ela é moldada por esforços
dirigidos, um dia depois do outro, rumo ao
estabelecimento do universo organizado
desejado por Deus, com uma justiça mais
perfeita entre os homens'.
No fim, a paz que não é resultado do
desenvolvimento integral estará condenada.
Ela sempre causará novos conflitos
e várias formas de violência."

"Em nossa cultura do desperdício,
na qual deixamos de lado aquilo
de que não precisamos, mantendo somente
aqueles que se consideram justos,
que se sentem puros, que se sentem limpos
– pobres criaturas! –,
essa palavra, solidariedade, corre o risco de
ser tirada do dicionário,
porque é uma palavra inconveniente que nos
obriga a olhar para os outros
e a nos doar para os outros com amor."

"[A] caridade não é uma simples
questão de dar assistência,
muito menos uma forma de assistência
para acalmar a consciência.
Não, isso não é amor,
isso é comércio, isso é negócio.
O amor é livre.
A caridade e o amor são
uma escolha de vida,
um modo de ser, de viver,
o caminho da humildade
e da solidariedade."

"Nós temos de caminhar unidos
em nossas diferenças.
Não há outro modo de tornar-se uno.
Esse é o caminho para Jesus."

"[É] necessário, hoje
mais do que nunca, que nós
nos eduquemos na solidariedade,
redescobrindo o valor e o sentido
dessa palavra desconfortável que é
deixada de lado com tanta frequência
e transformando-a na base das decisões
tomadas em nível político,
econômico e financeiro
e das relações entre as
pessoas, os povos e as nações."

"Que nós lembremos muito bem,
entretanto, que a comida jogada fora
é como se tivesse sido
roubada da mesa dos pobres, dos famintos!
Eu peço a todos que reflitam sobre a perda
e o desperdício de comida e que identifiquem
modos e abordagens que lidem com esse
problema com seriedade e que levem à
solidariedade e ao compartilhamento
com os desfavorecidos."

“Nós temos de afirmar,
sem medir palavras, que há um laço
indissolúvel entre nossa fé e os pobres.
Que nós jamais os abandonemos.”

"De modo paradoxal,
em um momento em que a globalização
permite que sejamos informados
sobre situações de carência no mundo todo
e que multipliquemos as trocas
e os relacionamentos humanos, parece haver
uma tendência crescente na direção
do individualismo e da interiorização,
que leva a certa atitude de indiferença
– em um nível pessoal, institucional
e estatal – em relação àqueles que morrem
de fome e sofrem com a desnutrição
como se fosse algo inevitável."

"As pessoas que vivem julgando o próximo,
falando mal do próximo,
são hipócritas porque não têm a força
e a coragem de olhar para suas próprias faltas.
O Senhor não diz mais que o necessário
sobre esse tema."

"Alguns membros da comunidade cristã
são convocados a se engajar na esfera política,
que é uma forma elevada de caridade,
como disse Paulo VI,
mas, como Igreja, todos nós temos
a grande responsabilidade de semear a
esperança através de
ações de solidariedade, buscando colaborar
da melhor maneira possível com as
instituições públicas."

“Assim como o Bom Samaritano,
que nós não nos sintamos envergonhados
de tocar as chagas daqueles que sofrem,
mas tentemos curá-las com
atos concretos de amor.”

“Não é somente o amor trivial
que podemos oferecer um ao outro,
mas algo muito mais profundo:
uma comunhão que nos torna capazes de
mergulhar nas alegrias e tristezas
das outras pessoas e,
com sinceridade,
transformá-las em nossas.”

"Jesus nos ensina a não sentirmos vergonha
de tocar a miséria humana, de tocar
Sua carne na carne dos nossos
irmãos e irmãs que sofrem."

"[O] modo de estar em contato
com outras pessoas de uma forma
que cura de verdade, em vez de debilitar,
é uma fraternidade mística,
uma fraternidade contemplativa.
É um amor fraternal capaz de ver a sagrada
grandeza de nosso próximo, de encontrar
Deus em cada ser humano,
de tolerar os aborrecimentos da vida em
comum se apegando ao amor de Deus,
de abrir o coração para o amor divino e de
buscar a felicidade das outras pessoas
de modo tão celestial
quanto o Pai faz."

"O Senhor ama quem oferece com alegria.
Que nós possamos aprender a ser generosos
na doação e livres do amor
aos bens materiais."

"Distanciar-se de si mesmo
e juntar-se às outras pessoas
é saudável para nós.
Ser voltado para si mesmo
é provar do amargo veneno da imanência,
e a humanidade ficará pior
a cada escolha egoísta que fizermos."

"Atualmente, quando as redes e as formas
de comunicação entre os seres humanos
fizeram avanços sem precedentes,
nós sentimos o desafio de descobrir e
de compartilhar uma 'mística' da vida em
comum, de associar-nos e de
encontrar-nos, de abraçar-nos e
de apoiar as outras pessoas,
de adentrar nessa maré
que, ao mesmo tempo que é caótica,
pode transformar-se em uma genuína
experiência de fraternidade,
uma caravana de solidariedade,
uma peregrinação sagrada.
Desse modo, maiores possibilidades
de comunicação se transformam
em maiores possibilidades de encontro
e de solidariedade para todas as pessoas.

Se nós fôssemos capazes de trilhá-lo,
esse caminho seria tão bom,
tão tranquilizador, tão libertador
e pleno de esperanças!"

"[O] Evangelho nos pede constantemente
que corramos o risco
de um encontro face a face
com as outras pessoas,
com sua presença física que nos desafia,
com suas dores e seus apelos,
com seu contentamento que nos contagia
em nossa interação íntima e contínua."

"Sejam membros ativos!
Passem para a ofensiva!
Entrem em campo, construam um mundo
melhor, um mundo de irmãos e de irmãs,
um mundo de justiça, de paz,
de fraternidade, de solidariedade.
Joguem sempre na ofensiva!"

"Nós precisamos ajudar as outras pessoas
a perceberem que o único caminho é
aprender a ter a
atitude certa diante do outro,
que é a de aceitá-lo e estimá-lo como
companheiro em nossa jornada,
sem uma resistência interior.
Melhor ainda, isso significa aprender a
encontrar Jesus no rosto das outras pessoas,
em suas vozes, em seus lamentos.
E aprender a sofrer no abraço do Jesus
crucificado sempre que formos injustamente
atacados ou recebidos com ingratidão,
jamais nos cansando de nossa decisão de
viver em fraternidade."

"Muitas pessoas tentam fugir das outras
e refugiar-se no conforto de sua privacidade
ou de um pequeno círculo de amigos íntimos,
renunciando ao realismo
do aspecto social do Evangelho.
Assim como certas pessoas desejam
um Cristo puramente espiritual, sem carne
e sem a cruz, também desejam que seus
relacionamentos interpessoais se deem
por meio de equipamentos sofisticados, por
telas e sistemas que podem ser ligados e
desligados segundo nosso desejo."

"Nós temos de recuperar o sentido completo
do dom, da gratuidade, da solidariedade.
O capitalismo descontrolado tem ensinado
a lógica do lucro a qualquer preço,
de dar para obter, de explorar
sem olhar as pessoas [...]
e nós vemos os resultados nesta crise
pela qual estamos passando!
Este Lar é um local que ensina a caridade,
uma 'escola' de caridade, que me instrui a ir
ao encontro de cada pessoa não por lucro,
mas por amor."

“Tenham cuidado com a tentação dos ciúmes!
Todos nós estamos no mesmo barco
e na direção do mesmo porto!
Que nós peçamos a graça de nos rejubilar
com os dons de cada pessoa,
que pertencem a todos.”

"Eu peço especialmente aos cristãos,
nas comunidades do mundo todo, que
ofereçam um testemunho radiante e atraente
de comunhão fraternal.
Que cada pessoa admire como vocês se
preocupam uns com os outros
e como encorajam e acompanham
uns aos outros:
'Nisto conhecerão todos que sois os meus
discípulos: se vos amardes uns aos outros'
(Jo 13, 35)."

“A dignidade humana
é a mesma para todos os seres humanos:
quando pisoteio a dignidade de outrem,
estou pisoteando
minha própria dignidade.”

PARTE DOZE

As lições da cruz

“Lá da cruz, Cristo nos ensina a amar até mesmo aqueles que não nos amam.”

"Como é belo se postar diante do crucifixo
e simplesmente ficar sob o olhar do Senhor,
tão pleno de amor."

"A cruz é o preço do verdadeiro amor.
Senhor, dai-nos a força para aceitar
e carregar nossas cruzes!"

"A cruz é a palavra através da qual
Deus respondeu ao mal que existe no mundo.
Às vezes, pode parecer que Deus não
responde ao mal, que está em silêncio.
E, no entanto, Deus respondeu,
e Sua resposta é a cruz de Cristo:
uma palavra que é
amor, misericórdia e perdão."

“Na cruz, Jesus sente todo o peso do mal,
e, com a força do amor de Deus,
Ele o vence. Ele o vence com Sua ressurreição.
Esse é o bem que Jesus nos faz
no trono da cruz.
A cruz de Cristo, abraçada com amor,
jamais conduz à tristeza, mas à alegria
de ter sido salvo e de fazer um pouco do que
Ele fez no dia de Sua morte.”

"O que a cruz deu àqueles que olharam
para ela e que a tocaram?
O que a cruz deixou em cada um de nós?
Vejam, ela nos dá um tesouro que ninguém
mais pode dar: a certeza do amor fiel que
Deus sente por nós.
Um amor tão grande que ele penetra em
nosso pecado e perdoa-o, penetra em nosso
sofrimento e dá-nos forças para suportá-lo.
É um amor que penetra na morte
para vencê-la e salvar-nos."

“Deus colocou na cruz de Jesus
todo o peso de nossos pecados,
todas as injustiças cometidas por todo
Caim contra seu irmão,
toda a amargura da traição por parte
de Judas e de Pedro,
toda a vaidade dos tiranos, toda a arrogância
dos falsos amigos.
Era uma cruz pesada,
como a noite enfrentada pelas
pessoas abandonadas, pesada como
a morte de entes queridos,
pesada porque carrega toda
a hediondez do mal.
Entretanto, a cruz é também gloriosa
como o alvorecer depois de uma longa noite,
pois ela representa todo o amor de Deus, que
é maior que nossas perversidades e traições.

Na cruz, nós vemos a monstruosidade
do ser humano quando permite que o mal
o guie, porém nós vemos também a
imensidão da misericórdia de Deus,
que não nos trata de acordo
com nossos pecados, mas de acordo
com Sua misericórdia."

"Jesus, com Sua cruz, caminha conosco
e assume os nossos temores,
nossos problemas e nossos sofrimentos,
mesmo aqueles que são mais profundos e
mais dolorosos. Com a cruz, Jesus se une
ao silêncio das vítimas da violência,
aquelas pessoas que não mais podem gritar,
sobretudo os inocentes e os indefesos.
A cruz de Cristo carrega o sofrimento e o
pecado da raça humana, incluindo os nossos.
Jesus aceita tudo isso de braços abertos,
carregando em Seus ombros nossas cruzes e
dizendo-nos: 'Tende coragem!
Vós não carregais sozinhos a vossa cruz!
Eu a carrego convosco. Eu venci a morte
e Eu vim para vos dar esperança,
para vos dar a vida' (Jo 3, 16)."

SOBRE O EDITOR

Andrea Kirk Assaf tem desfrutado do raro privilégio de cobrir três pontificados em uma década: os pontificados de João Paulo II, de Bento XVI e de Francisco. Em 2002, ela se mudou para Roma para escrever para a revista *Inside the Vatican* e para várias outras publicações católicas e seculares, cobrindo eventos como o Dia Mundial da Juventude em Toronto, o funeral de João Paulo II, a eleição do Papa Bento XVI e agora a popularidade do primeiro sucessor de São Pedro oriundo do Novo Mundo, o Papa Francisco. Junto com seu editor-jornalista-marido Tony Assaf e seus três filhos, Andrea divide seus dias entre a cidade eterna de Roma e uma propriedade rural em Remus, Michigan, nos Estados Unidos.

Este livro foi composto em Warnock e impresso pela
Intergraf para a Editora Planeta do Brasil
em outubro de 2016.